Mon **Premier Larousse**

À la MER

ILLUSTRATIONS

Pages 6 à 17
Dankerleroux

Pages 20 à 37
Robert Barborini

Pages 40 à 69
Ronan Badel

Pages 72 à 91
Olivier Latyk

Pages 94 à 113
Nathalie Choux

Pages 114 à 133
Aurélie Guillerey

Pages 136 à 159
Pronto

Illustration de couverture : Ronan Badel

Direction artistique : Frédéric Houssin & Cédric Ramadier
Conception graphique et réalisation : DOUBLE

Édition : Caroline Terral
Direction éditoriale : Françoise Vibert-Guigue
Direction de la publication : Marie-Pierre Levallois
Lecture-correction : Chantal Pagès
Fabrication : Nicolas Perrier

© Larousse 2006 • 21, rue du Montparnasse - 75006 Paris
ISBN 2-03-565178-6 • Imprimé en Espagne par Graficas Estellas • Photogravure : FAP
Dépôt légal : mai 2006 • N° de projet : 11001787
Conforme à la loi n° 49 956 du 16 juillet 1949 sur les publications destinées à la jeunesse.

Mon **Premier Larousse**
À la MER

Écrit par **Benoît Delalandre**

LAROUSSE

SOMMAIRE

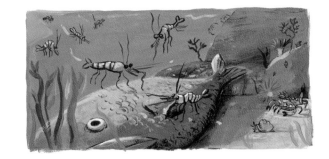

LE RIVAGE

**Le rivage, c'est la rencontre de la terre avec la mer.
Il est chaque jour redessiné par le vent, la marée ou la tempête.**

Les habitants du rivage, plantes et animaux, vivent dans des conditions très difficiles. D'autres habitants venant des terres ou du large visitent parfois les rivages pour se reproduire ou se nourrir.

LE LITTORAL

**La terre est immobile, mais la mer est sans cesse en mouvement.
C'est elle qui sculpte le littoral.**

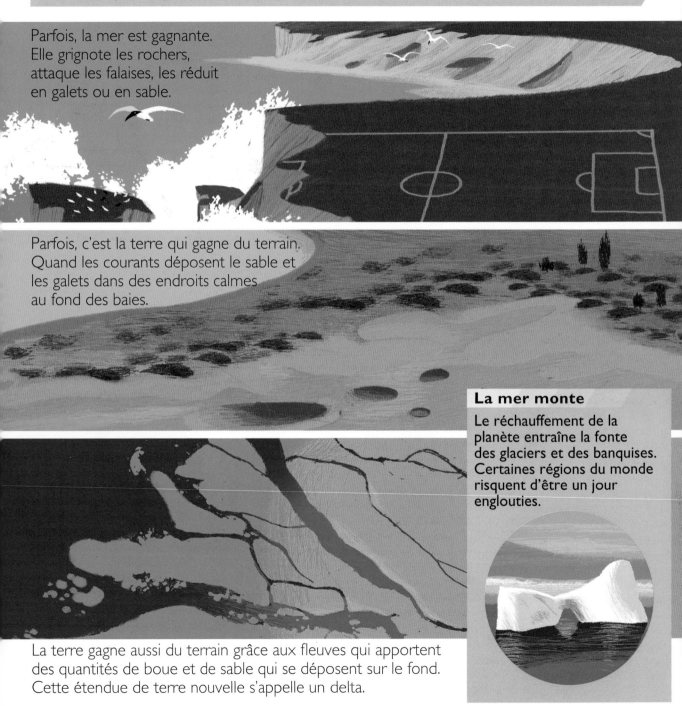

Parfois, la mer est gagnante.
Elle grignote les rochers,
attaque les falaises, les réduit
en galets ou en sable.

Parfois, c'est la terre qui gagne du terrain.
Quand les courants déposent le sable et
les galets dans des endroits calmes
au fond des baies.

La mer monte

Le réchauffement de la
planète entraîne la fonte
des glaciers et des banquises.
Certaines régions du monde
risquent d'être un jour
englouties.

La terre gagne aussi du terrain grâce aux fleuves qui apportent
des quantités de boue et de sable qui se déposent sur le fond.
Cette étendue de terre nouvelle s'appelle un delta.

Il n'y a pas deux rivages identiques. Le vent, les vagues, les marées, les courants, la température, la composition du sol, toutes ces conditions ne sont jamais les mêmes.

LE SOLEIL, C'EST LA VIE

Le fond des océans est un désert.
Pourquoi la vie se concentre-t-elle près des côtes?

Aujourd'hui, le niveau de la mer est bien plus haut qu'autrefois. Les anciennes plages et terres de bords de mer sont maintenant sous l'eau. On appelle cette zone le plateau continental.

Il est peu profond, alors le soleil peut atteindre le fond. Le soleil apporte la lumière. La lumière apporte la vie. Les algues poussent. C'est ici que vivent presque tous les habitants de la mer.

Le soleil chauffe la mer. Les 5 premiers mètres de la surface des mers gardent autant de chaleur que toute l'atmosphère de la Terre. L'eau emmagasine la chaleur durant le jour et l'été. Elle la rend la nuit et l'hiver.

Au bord de la mer, le climat est donc plus frais l'été qu'à l'intérieur des terres.

De même, le climat est plus doux l'hiver au bord de la mer qu'à l'intérieur des terres.

LE CYCLE DE LA VIE

Les gros mangent les petits. Les très gros mangent les gros. Et, quand les très gros meurent, ils sont mangés par les petits.

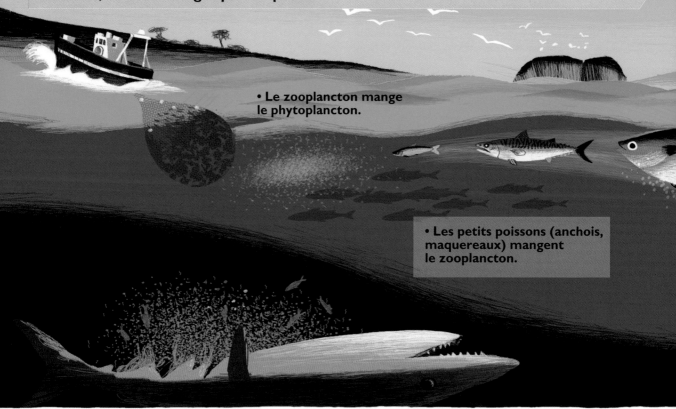

• **Le zooplancton mange le phytoplancton.**

• **Les petits poissons (anchois, maquereaux) mangent le zooplancton.**

Le plancton végétal, ou **phytoplancton,** est formé d'algues microscopiques qui dérivent à la surface des mers. Comme toutes les plantes, il se nourrit à partir de la lumière, de gaz carbonique et de sels minéraux.

Le plancton animal, ou **zooplancton,** est formé de microscopiques animaux (crustacés, larves de poissons, de coquillages, méduses, etc.). Il se nourrit de phytoplancton.

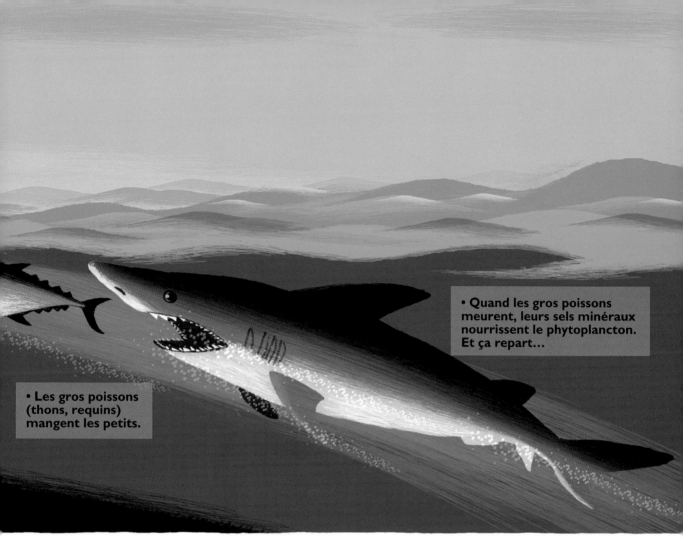

- Quand les gros poissons meurent, leurs sels minéraux nourrissent le phytoplancton. Et ça repart…

- Les gros poissons (thons, requins) mangent les petits.

j'ai faim
merci.

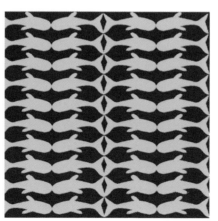

Finis ton assiette !

Si tu manges une boîte de thon de 250 g, tu manges indirectement 250 kg d'algues!

L'homme mange des poissons de toutes les tailles.
Mais, s'il pêche trop de maquereaux, les thons meurent de faim.
Et les anchois deviennent trop nombreux.

LE MOUVEMENT DE L'EAU

L'eau de la mer est brassée et mélangée par des forces gigantesques. Soufflant sur l'océan sans rencontrer d'obstacles, le vent soulève la surface de l'eau et forme des vagues.

Lorsque **les vagues** s'approchent du rivage, elle frottent contre le fond. Le dessus de la vague continue avec la même vitesse, alors que le dessous est ralenti.

Le rouleau est une vague déferlante. Sa crête s'enroule et la vague se brise.

Quand le vent souffle très fort, c'est **la tempête**.

La vague crée par son mouvement une mousse blanche : **l'écume**.

La lune (et le soleil un peu aussi) attire la surface de la Terre. Lorsque la lune est juste au-dessus de la mer, elle attire l'eau, qui monte vers elle. C'est la marée haute.

Puis elle continue sa course vers l'autre côté de la Terre et la mer redescend. C'est la marée basse.

Si le soleil et la lune sont alignés, les forces s'additionnent, alors les marées sont plus fortes. Ce sont les grandes marées, ou vives-eaux.

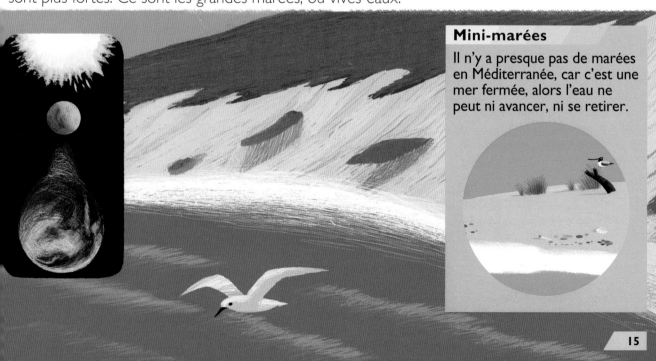

Mini-marées

Il n'y a presque pas de marées en Méditerranée, car c'est une mer fermée, alors l'eau ne peut ni avancer, ni se retirer.

LES ALGUES

Tout comme les plantes à fleurs, les algues ont besoin de lumière pour se nourrir. Mais c'est bien le seul point commun. Les algues ne possèdent pas de racines, ne produisent pas de fleurs ni de graines.

L'algue n'a pas besoin de racines pour puiser sa nourriture dans le sol, car l'eau de mer contient tout ce dont elle a besoin.
Elle absorbe la lumière, l'eau et les sels minéraux sur toute sa surface.

Elle se cramponne solidement pour résister aux courants et aux marées.

Bonbons aux algues

Il y a les algues vertes, les brunes et les rouges. Elles sont souvent gluantes. On utilise leur gélatine pour faire des bonbons, des glaces, des yaourts, dans le petit pot du bébé ou la pâtée de ton chat.

1 La pelvétie peut rester au sec en attendant une grande marée.

2 Le fucus (goémon) vit dans l'eau ou l'air, au rythme des marées. Cramponné au rocher, il ondule souplement dans les vagues qui tentent de l'arracher. Ses flotteurs le redressent vers la lumière à marée haute.

3 Les laminaires restent toujours dans l'eau.

17

   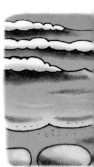

Le SABLE

LE SABLE

**Le sable bouge tout le temps, brassé par les vagues et les courants.
Ici, pas d'habitant, car ce n'est vraiment pas un élément facile à vivre.**

Le sable ne se mange pas.
Les coquillages ou les algues ne peuvent
pas s'y fixer comme sur le rocher.
La plage est vide.

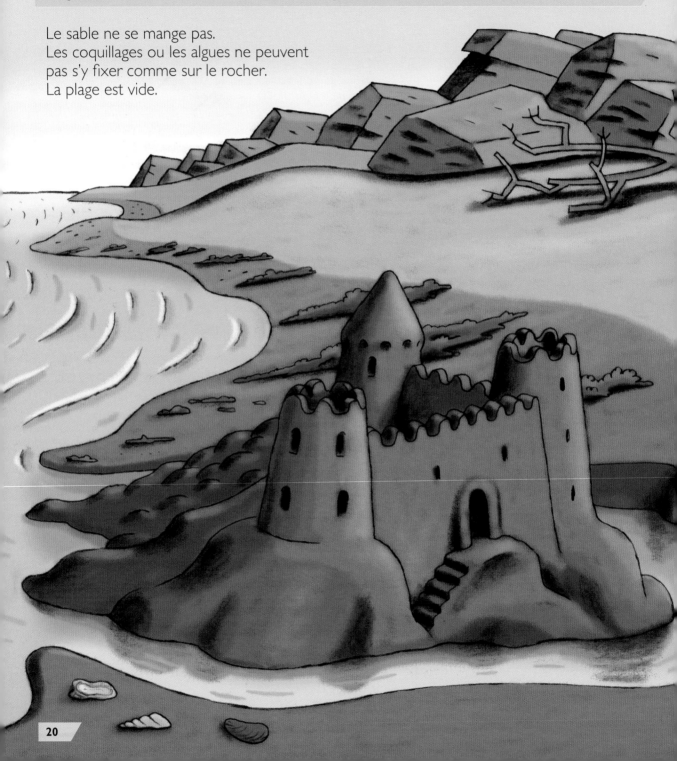

La mer entraîne les rochers, les coquillages et les squelettes d'animaux. Elle les brise en mille morceaux jusqu'à ce qu'ils deviennent du sable.

La plage de sable blanc est formée de squelettes de coraux.

La plage de sable noir provient d'une roche volcanique.

LA PLAGE DE SABLE À MARÉE HAUTE

C'est la marée haute, la mer a recouvert la plage. Sous l'eau, c'est un grand désert de sable où la vie est rare et souvent cachée.

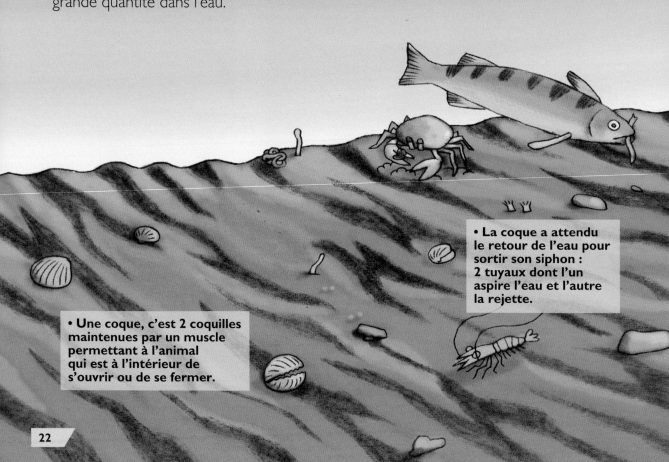

LES FILTREURS

Sur le sable, pas d'algues, donc pas de mangeurs d'algues, mais des quantités de vers, coquillages et crustacés qui s'affairent avant que l'eau ne reparte. Ces animaux filtreurs se nourrissent du plancton et des petits êtres minuscules qui nagent en grande quantité dans l'eau.

Les filtreurs attirent les prédateurs venus de la mer. **Bars et maquereaux** chassent le lançon. **Soles et raies** chassent des vers et des crevettes.

• **La coque a attendu le retour de l'eau pour sortir son siphon : 2 tuyaux dont l'un aspire l'eau et l'autre la rejette.**

• **Une coque, c'est 2 coquilles maintenues par un muscle permettant à l'animal qui est à l'intérieur de s'ouvrir ou de se fermer.**

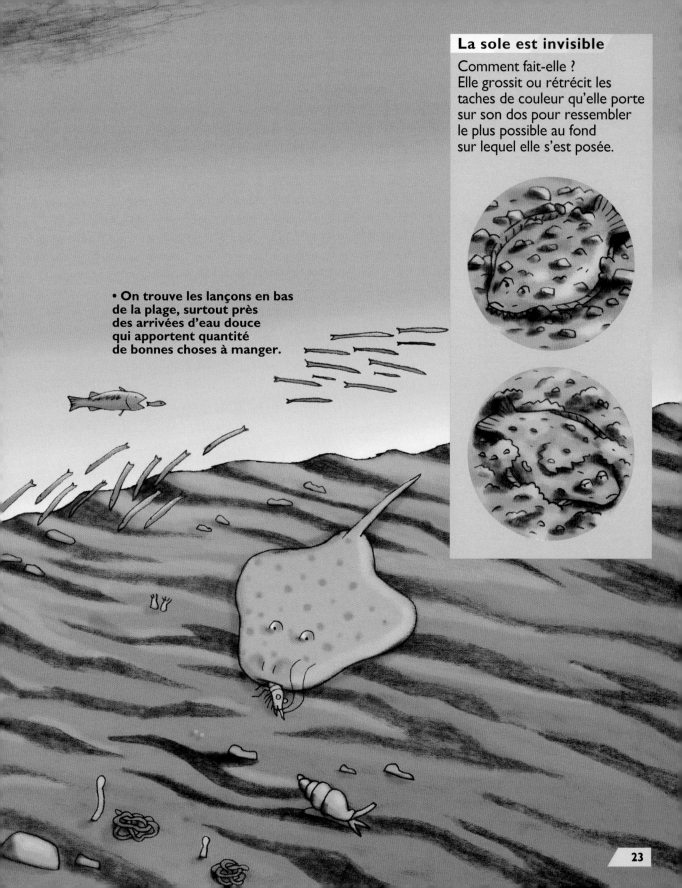

La sole est invisible

Comment fait-elle ?
Elle grossit ou rétrécit les
taches de couleur qu'elle porte
sur son dos pour ressembler
le plus possible au fond
sur lequel elle s'est posée.

• On trouve les lançons en bas
de la plage, surtout près
des arrivées d'eau douce
qui apportent quantité
de bonnes choses à manger.

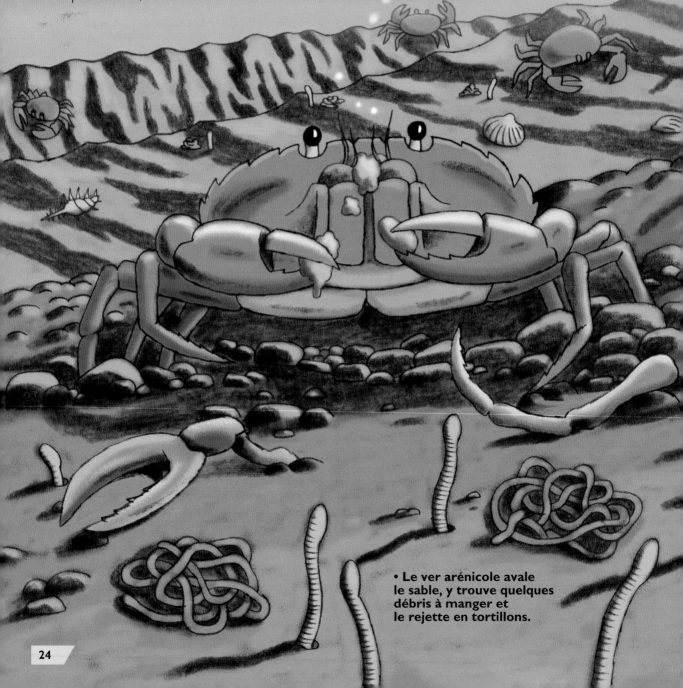

LES NETTOYEURS

Cadavres, crottes, vase, déchets
végétaux, certains s'en régalent.
Ce sont les nettoyeurs de la plage.
Le crabe vert mange tout
ce qu'il trouve, mort ou vivant.

• Pour grandir, le crabe doit
changer de carapace, c'est
pour cela qu'on en trouve
des tas sur la plage.

• Le ver arénicole avale
le sable, y trouve quelques
débris à manger et
le rejette en tortillons.

LA CREVETTE

• 1 long rostre, 2 yeux verts à facettes, 2 paires d'antennes (2 petites et 2 longues dirigées vers l'arrière).

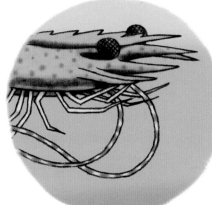

• Sa bouche : une paire de mandibules broyeuses, deux paires de mâchoires à lames coupantes, trois paires de pattes-mâchoires pour porter la nourriture à la bouche et faire circuler l'eau vers ses branchies.

La crevette grise s'enfouit dans le sable pour se protéger en ne laissant dépasser que ses yeux.

• Cinq paires de pattes pour marcher.

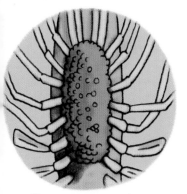

• Cet amas entre les pattes, ce sont des œufs.

• Cinq paires de pattes pour nager.

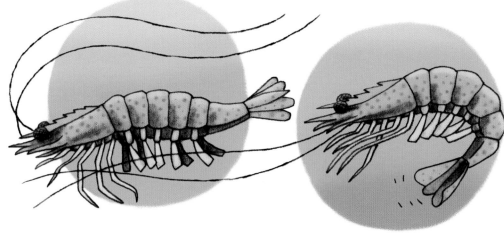

• Son abdomen est un muscle puissant. Elle le contracte brusquement pour se propulser en arrière.

LA PLAGE DE SABLE À MARÉE BASSE

**La zone dégagée par la marée basse s'appelle l'« estran ». Quel désert !
Plus aucune trace de vie ! Le soleil, le vent ou le froid ont chassé les animaux.**

Les animaux se sont enfoncés dans le sable humide.
Ils attendent patiemment le retour de l'eau au fond de leur trou.
Les prédateurs viennent de la terre. Les oiseaux savent que la nourriture est dans le sable. Ils fouillent pour déterrer ceux qui se croient à l'abri.
La coque s'est refermée sur le bec de **l'huîtrier-pie**.
Il la casse sur une pierre et la mange.

• **Un trou et un tortillon, c'est un ver arénicole.**

• **Un trou en 8, c'est un couteau.**

• **Deux trous, c'est une coque.**

• **Des tas de petits trous, ce sont des puces.**

• **Un gros trou avec des pâtés autour, c'est un enfant d'humain.**

Couteau à sel

Quelques grains de gros sel et le couteau jaillit hors de son trou, persuadé que la mer est remontée.

Le crapaud des joncs court très vite sur ses petites pattes à la recherche d'insectes.

Il ferme les yeux de plaisir quand il les avale goulûment.

Pas de pertes : il change de peau chaque semaine, mais la mange.

La mouette le trouve très appétissant. Mais le crapaud fait le costaud. Il se gonfle et se dresse sur ses pattes.

Si l'oiseau insiste, le crapaud fabrique un poison dégoûtant.

La torpille est restée coincée dans une flaque.

Elle nage mal et préfère se cacher sur le fond ; seuls ses yeux et ses narines dépassent.

Elle bondit sur le poisson qui passe, recourbe ses ailes et lui envoie une décharge électrique.

Le poisson est paralysé, alors la torpille le dévore tranquillement.

LA GRANDE INVASION

L'été, lorsqu'il fait très chaud, la vie est encore plus difficile sur le sable. Cela n'empêche pas d'étranges animaux de venir en grand nombre se dorer au soleil.

Ils s'allongent au bord de l'eau comme des éléphants de mer. Ils se trempent un peu en poussant des cris. Leurs petits ramassent les petits crabes égarés.

LES DRAPEAUX
- **Vert = baignade autorisée**
- **Orange = autorisée, mais dangereuse**
- **Bleu = pollution**
- **Rouge = interdite**

Ces étranges animaux ont des ennemis : la méduse et la vive.

La méduse est un carnivore qui capture ses proies en les paralysant.

Ses filaments sont garnis de cellules équipées d'aiguilles à venin.

Même morte, elle peut encore piquer. Les méduses se rassemblent en été sur les plages pour se reproduire.

La vive ne repart pas avec la marée, mais reste dans très peu d'eau en dépassant à peine du sable. Elle a horreur qu'on lui marche dessus. À l'approche de ton pied, elle redresse ses épines venimeuses. La piqûre fait très très mal. Le mieux est de vite tremper son pied dans de l'eau très chaude qui détruit le venin.

Les petits poissons se faufilent entre les jambes des humains. Les jeunes poissons plats s'enfuient devant leurs pieds.

UNE NUIT SUR LA PLAGE

La nuit, le sable est couvert d'un fin duvet d'algues microscopiques. Crabes et mollusques broutent cette prairie minuscule.

• Le phare guide
les marins vers le port.

• L'eau est phosphorescente au creux des vagues,
c'est le plancton qui émet de la lumière.

• Tous aux abris, voici le monstre de la plage, la dévoreuse, la cribleuse ramasse tout ce qui est plus gros qu'un grain de sable.

• Le grand perce-oreille dévore les puces de mer. La femelle est une bonne mère qui nettoie ses œufs, puis protège et soigne ses petits.

LES CADEAUX DE LA MER

**Tout ce que la mer ne peut digérer, elle le dépose sur les côtes.
Déchets ou trésors, comme dans une chambre mal rangée.**

• une étoile de mer

• des posidonies séchées

• des algues séchées

• des squelettes d'oursin

• un os de seiche

• une pomme
de pin apportée
par un ruisseau

• des puces de mer

• une mue de crabe

• une bouteille
à la mer

• un paquet
d'œufs de buccins

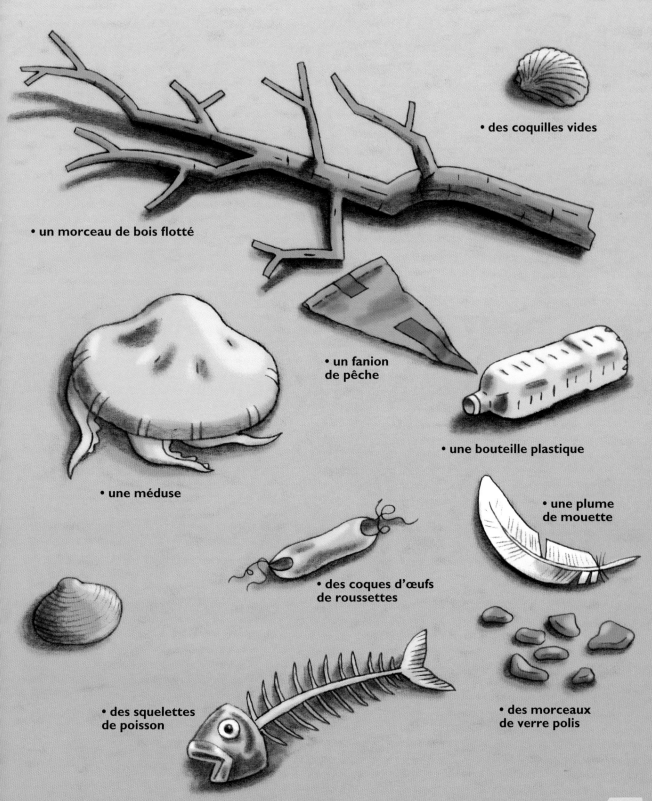

• des coquilles vides

• un morceau de bois flotté

• un fanion
de pêche

• une bouteille plastique

• une méduse

• une plume
de mouette

• des coques d'œufs
de roussettes

• des squelettes
de poisson

• des morceaux
de verre polis

LA DUNE OU LA MARCHE DU GÉANT

La mer dépose le sable sur la plage, le vent le pousse vers la terre et forme la dune. Elle se déplace, grossit ou maigrit selon le vent, comme les dunes du désert.

Une dune, c'est énorme,
mais c'est fragile.

La dune se forme. Poussée par le vent, elle avance à l'intérieur des terres.

La dune est fixée par les plantes. Plus la dune est vieille, plus elle est riche en plantes et animaux.

L'homme piétine la dune. La végétation fragile est détruite. La dune reprend sa marche.

La dune n'est plus fixée par les racines des plantes. Le vent la pousse à nouveau. Elle recouvre les bonnes terres.

L'homme arrête la dune. Il répare ses dégâts ! Il installe des palissades pour arrêter le sable et plante des oyats pour le fixer.

LA VIE S'INSTALLE

Beaucoup de vent, pas beaucoup d'eau, le sable qui bouge tout le temps et qui brûle en été… Mais, sur la dune aussi, la vie s'adapte.

Dune blanche : c'est la première dune, face à la mer. Elle est jeune et bouge beaucoup.

Dune grise : plus loin de la mer, protégée par la dune blanche, elle ne bouge plus.

• L'oyat et la queue de lièvre emprisonnent le sable entre leurs racines.
• Si le vent les recouvre de sable, ils repoussent vers la surface.

Le gravelot trotte à toute vitesse en suivant les vagues. Il cherche des vers et des mollusques.

Il pond ses œufs directement sur le sol.

Derrière la dune,
il y a souvent un creux
avec de l'eau.

**• Le lapin broute
les herbes parfumées.
Et, là où il y a des lapins,
il y a... le renard.**

**• Pour éviter de cuire
dans le sable surchauffé,
les escargots grimpent
sur les tiges et attendent
la prochaine pluie.**

**• Le crapaud
des roseaux attend
la tombée de la nuit
pour sortir du sable
et chanter
mélancoliquement.**

Pour éloigner les prédateurs
de son nid, le gravelot feint
d'être blessé.

Le prédateur pense alors
qu'il sera une proie facile
et le poursuit.

Quand l'ennemi est suffisamment
loin du nid, le gravelot, soudain
guéri, s'envole...

La CÔTE ROCHEUSE

LA CÔTE ROCHEUSE

**Contrairement aux plages de sable, le fond rocheux est propice à la vie.
Sur les rochers, dans les trous, sous les cailloux, ça rampe, ça nage, ça court…**

LA CÔTE ROCHEUSE À MARÉE HAUTE

La mer est haute, tout va bien. L'eau est fraîche et riche en plancton. C'est le moment pour tous les animaux de se nourrir, de se déplacer, de se reproduire.

• Congres et bars sont en chasse.

1 L'ophiure se déplace en faisant de grands mouvements avec ses bras. C'est pour cela qu'on l'appelle la danseuse ou le singe.

2 Une araignée vient de s'installer dans le coin. Il lui faut changer de costume pour passer inaperçue. Elle va coller sur son dos des algues et des éléments du décor.

L'ophiure

Elle attrape les petites particules qui passent à sa portée. Puis, elle les conduit à sa bouche.

Elle n'aime pas la lumière.

Sa forme aplatie et ses bras très souples sont pratiques pour se glisser sous les rochers.

Elle aime se frotter aux autres.

LES BROUTEURS

Des milliers de langues lèchent, râpent, grattent les algues collées sur les rochers. C'est l'heure des brouteurs.

• **Les patelles ont quitté leurs marques sur le rocher pour brouter aux alentours.**

Comme les autres limaces de mer, **le lièvre de mer** a une coquille un peu molle, cachée sous la peau de son dos.

Il rampe lentement ou nage joliment en faisant onduler les lobes de son corps.

Quand il est inquiété, il dégage un nuage d'encre.

La langue des brouteurs

Elle s'appelle « radula ». Elle est couverte de dents minuscules.

• **L'ormeau vit dans les fentes rocheuses. L'intérieur de sa coquille est nacré. Il rampe grâce à son large pied, surtout la nuit.**

• **Le bigorneau glisse sur son pied-ventouse. Les yeux de cet escargot de mer ne sont pas sur ses tentacules.**

Il broute les algues et dévore parfois une anémone.

Bien nourri, il devient gros comme ton bras.

Ce plat de spaghettis, ce sont les œufs du lièvre de mer.

UN CADAVRE AU FOND DE L'EAU

Le gros poisson a été projeté sur les rochers par une vague. Tué sur le coup, il est tombé au fond. L'odeur de son corps attire tous les charognards du secteur.

Les bouquets sont les premiers arrivés. Ils détachent, de leurs fines pinces, de petits morceaux de chair.

La bonne odeur énerve deux **crabes verts** qui se battent.

Le gros bulot est arrivé tranquillement et lui aussi aura sa part.

Avant que la mer ne redescende, le poisson aura complètement disparu.

Bonne odeur

Le bulot rampe sur son pied et détecte les odeurs de très loin avec sa trompe.

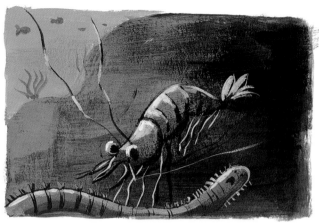

Le bouquet est une crevette rayée qui préfère les rochers.

Il mange de tout : vers, crustacés, algues, poissons morts…

Le bouquet a une carapace dont il doit se débarrasser pour pouvoir grandir.

À chaque mue, l'animal pourra ainsi refabriquer chaque patte perdue.

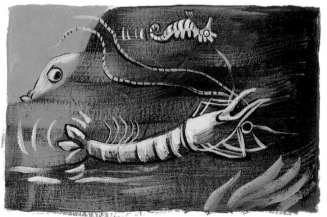

Il nage ou marche sur le fond.

Il peut nager sur le ventre comme sur le dos, en avant et en arrière.

BERNARD ET L'ANIMAL-FLEUR

**Le bernard-l'hermite a le ventre nu, sans carapace. Ce ventre dodu est bien appétissant et beaucoup de bouches affamées rôdent dans le secteur.
Pour le protéger, le bernard-l'hermite l'enfile dans une coquille vide.**

Bernard a beaucoup grossi ces derniers temps. Il a le ventre bien serré. Il doit trouver une nouvelle coquille, plus grande.

Voici une magnifique coquille de bulot. Bernard la soulève, la retourne, visite l'intérieur. Elle est parfaite.

Mais, avant d'emménager, il faut la nettoyer. Un petit grain de sable serait très irritant contre son ventre délicat.

Pas de danger en vue, vite, Bernard emménage à reculons.

Pour terminer, il détache son anémone et la replante sur sa nouvelle coquille.

En cas de danger, il claque la porte : sa grosse pince ferme l'entrée de sa coquille.

Bernard a placé une anémone sur son toit pour dissuader les prédateurs. L'anémone en profite pour lui voler quelques morceaux de nourriture.

L'anémone de mer possède un trou qui s'appelle bouche pour tout ce qui rentre et anus pour tout ce qui sort. Le trou est situé au milieu de ses tentacules.

L'anémone est fixée sur le rocher par sa ventouse, mais si elle se sent menacée, elle se décolle et se laisse glisser ou encore, exécute des torsions dans tous les sens. Elle peut même marcher sur ses tentacules.

Elle mange tout ce qui passe à sa portée : poissons, crevettes, crabes. La proie, emprisonnée dans les tentacules, est paralysée par leur venin. L'anémone la porte à sa bouche. L'anémone de mer n'a pas de dents, alors elle ne mâche pas sa nourriture.

DÉLICIEUSES MOULES

Les moules sont si nombreuses qu'elles ont complètement recouvert le rocher. Et que trouve-t-on sur les moules? Les mangeurs de moules!

L'étoile de mer a fixé ses bras sur les deux valves de la coquille de la grosse moule. Et elle tire, elle tire. Dans sa coquille, la moule contracte le puissant muscle qui la maintient fermée. Qui sera le plus fort?

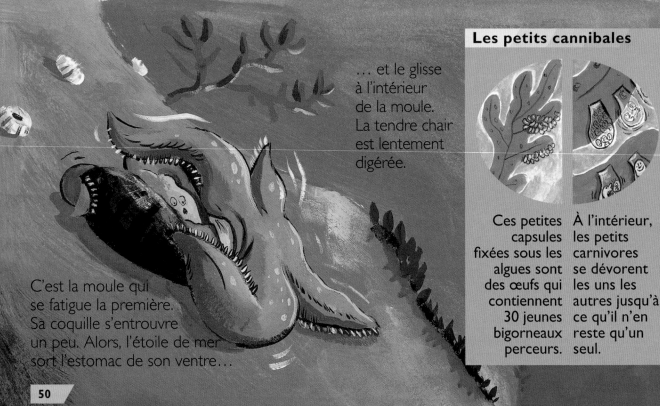

… et le glisse à l'intérieur de la moule. La tendre chair est lentement digérée.

C'est la moule qui se fatigue la première. Sa coquille s'entrouvre un peu. Alors, l'étoile de mer sort l'estomac de son ventre…

Les petits cannibales

Ces petites capsules fixées sous les algues sont des œufs qui contiennent 30 jeunes bigorneaux perceurs.

À l'intérieur, les petits carnivores se dévorent les uns les autres jusqu'à ce qu'il n'en reste qu'un seul.

Un autre carnivore s'intéresse aux moules, **le bigorneau perceur**. Sa technique est très différente. Sa langue râpeuse lui sert de foreuse.

Fixé sur sa proie, il y perce un petit trou tout rond. Par le trou, il aspire la chair sans ouvrir la moule.

Cette moule a senti un danger et s'est refermée. **Un bulot** s'est approché lentement et attend patiemment.

La moule s'ouvre un peu. Aussitôt, le bulot se précipite et coince le bord de sa coquille dans l'ouverture. La moule est fichue.

Un bras coupé

Il y a quelques jours, cette étoile de mer a perdu un bras dans un combat avec un crabe.

Ce petit bourgeon, c'est son bras manquant qui repousse.

La plus grande

La plus grande étoile de mer du monde peut dépasser 1,30 m de diamètre.

CHACUN SON TOUR

Au même endroit, d'une année à l'autre, balanes et oursins occupent le terrain à tour de rôle.

• **Les oursins :
des piquants... et des pieds.
Parfois, l'oursin creuse un abri
en se roulant sur les algues
du rocher.**

• **L'oursin broute
les algues.
Sa bouche est
en dessous.**

Lorsqu'il broute, **l'oursin** rase les algues des rochers.

Les balanes viennent se fixer sur ces rochers bien nettoyés, gênant la pousse des algues.

Il n'y a bientôt plus d'algues pour se nourrir... Alors l'oursin déménage.

• Les balanes
se fixent partout,
même sur les crabes
et les baleines.

• Elles sortent
leurs plumeaux
de leurs tentacules
pour attraper
le plancton.

L'oursin parti, les algues
recommencent à pousser
partout : entre les balanes,
sur les balanes.

Peu à peu, les algues
empêchent les balanes de se
nourrir. Les balanes meurent.

Alors l'oursin revient…
pour manger les algues.

À MARÉE BASSE

L'été, le soleil tape. Il fait 40 °C sur le rocher. Dans les flaques, l'eau brûlante s'évapore et devient de plus en plus salée. Plus question de chasser, de se nourrir, il faut attendre, résister.

Quand la mer se retire, les animaux qui vivent
sur les rochers se cachent sous les algues
où ils trouvent ombre, humidité et protection.
Le moindre trou, la moindre fissure sont occupés.

• **Attention au goéland à l'œil perçant qui mange tout ce qui bouge !**

Et en hiver ?

Le soleil ne tape plus, mais les animaux doivent affronter le froid et le vent.

• **La patelle conserve une réserve d'eau sous sa coquille.**

• **Le bigorneau est capable de survivre jusqu'à 50 °C.**

L'OCÉAN MINIATURE

**La mer est basse. Un grand trou est resté rempli d'eau.
Le soleil vient de se lever, il ne fait pas encore trop chaud.**

Certains animaux passent toute leur vie dans la mare. D'autres sont de passage.
La mare est un océan miniature. Il y a une petite plage, une falaise, une grande
crevasse sombre, un champ d'algues.

1 Un jeune tourteau
fait le gros dos.

2 Une ophiure plonge
rapidement dans une fissure.

3 Une moule morte attire
les mangeurs de cadavres.

4 Deux petits crabes poilus
sont agrippés l'un à l'autre
sous le rocher. On les appelle
« porcelanes ». Ils ne se séparent
jamais et vivront toute leur vie
ensemble.

5 Presque invisibles,
les crevettes translucides
courent sur le fond.

6 Ces deux yeux furieux,
c'est une petite pieuvre.

LE CRABE

Il y a des crabes qui vivent à terre, d'autres sur le rivage, d'autres encore au fond de la mer dans le froid et l'obscurité. Mais tous ont besoin d'eau.

• **Le crabe est un crustacé. Il a une tête, un thorax, un abdomen plat et replié sous la carapace. Il se déplace sur le côté.**

• **Il possède 2 paires d'antennes pour s'orienter et sentir la nourriture dans l'eau et 10 pattes articulées dont 2 fortes pinces.**

• **Le rabat est en forme de triangle chez le mâle et de dôme chez la femelle.**

• **Il respire par des branchies, abritées dans son armure. La bouche est couverte de poils pour goûter la nourriture.**

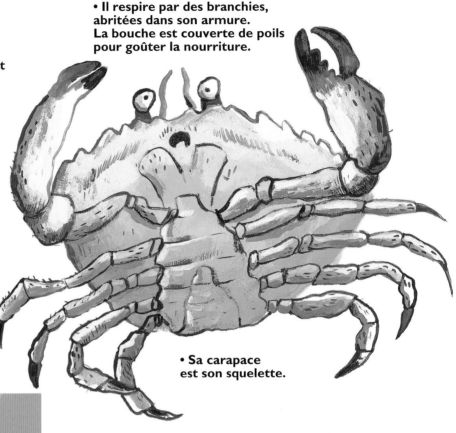

• **Sa carapace est son squelette.**

La mue

Le crabe doit changer régulièrement de carapace car quand il grandit elle devient trop petite.

Au printemps, les femelles portent des œufs sous leur rabat.

L'étrille est une bonne nageuse. Ses pattes sont plates comme des rames.

Le tourteau est calme et lent. Devant un agresseur, il préfère se mettre en boule et attendre qu'il s'en aille.

L'étrille est agressive. Face à un adversaire, elle dresse ses pinces bleutées et l'affronte de ses yeux rouges.

Le tourteau mange de tout mais préfère déguster tranquillement un cadavre immobile.

D'un vif coup de pince, l'étrille attrape une crevette qui passe.

Le crabe se gonfle d'eau pour décoller sa vieille carapace. Puis il l'abandonne.

Il se retrouve tout mou. Il se cache en attendant que sa nouvelle carapace durcisse.

Ouf, le voilà à nouveau bien protégé. Il peut maintenant dégonfler.

LA FALAISE

Cette grande muraille face à la mer, c'est le paradis du vent et des oiseaux. Le vent, en butant sur la falaise, fait l'ascenseur. Les oiseaux se laissent porter en planant.

Le macareux doit battre très vite des ailes pour se maintenir en l'air.

• Ici, les insectes n'ont pas d'ailes. Ils seraient emportés par le vent. Le crache-sang a un goût horrible. L'oiseau le recrache.

Un triangle dans le ciel, c'est un vol de cormorans.

Le macareux a un corps dodu et de courtes ailes.

Il retourne au nid avec une belle brochette. Sa langue épineuse maintient les poissons.

Cet immense oiseau noir l'attaque en plein vol pour lui voler sa nourriture.

À grands coups de bec dans la gorge, la frégate le force à recracher ses poissons.

Le cormoran étend ses ailes pour les faire sécher.

Un petit coup de rein et le cormoran plonge.

Lorsque son estomac est plein, il garde le poisson dans sa gorge.

LA GRANDE FALAISE DE CRAIE BLANCHE

Mètre après mètre, la grande falaise de craie blanche recule face aux assauts des vagues, de la pluie et du vent.

Goutte après goutte, la pluie s'infiltre dans le sol, fissurant la roche tendre.

Vague après vague, la mer creuse le pied de la falaise.

Un gros morceau s'écroule. La mer avance. La falaise recule.

Au pied de la falaise, les plages sont souvent couvertes de galets ronds. Ce sont des morceaux de silex, une roche très dure.

Ils étaient enfermés dans la craie et la mer les a libérés, puis roulés, polis, arrondis. Un galet rouge. C'est une brique !

Malgré le vent et les embruns salés, de petites touffes s'accrochent à la paroi.

La perce-pierre enfonce ses racines dans les petites fissures.

La silène pousse en petits coussinets.

Le chou marin était autrefois mangé par les hommes.

LA CITÉ DES OISEAUX

Une falaise, c'est comme un immeuble, avec plein de balcons. Et une vue splendide sur la mer et le soleil couchant ou levant. Il y a les habitants du rez-de-chaussée, ceux des étages et ceux qui préfèrent le toit.

• **Attention, voilà les pilleurs de nids, les voleurs d'œufs, les mangeurs d'oisillons : les goélands !**

• **Les macareux sont installés sur le toit.**

• **La mouette tridactyle construit un nid d'algues bien solide, cimenté à la fiente, le caca d'oiseau.**

• **Le guillemot pose simplement son œuf sur le rocher. Il risque de tomber ? Non, sa forme ovale le fait tourner sur lui-même.**

• **Ce couple de cormorans construit un nid d'algues. Les parents couvent à tour de rôle. Ils font glisser les œufs sur leurs pattes palmées avant de se poser délicatement dessus.**

• **Ce grand cormoran mâle vient d'arriver. Une chance, il a trouvé un rebord libre et suffisamment grand. Il bat des ailes et pousse des cris pour attirer une femelle.**

Un amour de macareux

À coups de becs et de griffes, le couple de macareux creuse un profond terrier.

Le terrier est prêt à accueillir le précieux œuf.

Le jeune couple uni pour la vie danse en sautillant et en se frottant le bec. Le manège attire les voisins qui se rassemblent autour des amoureux.

LE GOÉLAND ARGENTÉ

Les hommes et leurs activités ont envahi la côte. Cela ne dérange pas le goéland, bien au contraire. Puisque l'homme est là, il faut vivre avec et en profiter.

Sur la ville, le port, les toits,
les antennes, partout des goélands.
Au loin, une décharge fume,
encore des goélands !

• Un bateau
de pêche
rentre
enveloppé
d'un nuage
de goélands.

Les petits sont affamés

La mère goéland se repose
et protège ses petits.
Le père pêche en mer.

Les 3 petits meurent de faim,
ils frappent la tache rouge du
bec de leur papa revenu. Alors
celui-ci régurgite le poisson.

Voici leur grand restaurant en plein air. La nourriture fraîche arrive chaque jour, gratuite et variée.

Les goélands sont devenus très nombreux dans certaines villes. Ils sont bruyants, voleurs et salissants.

Pour s'en débarrasser, on essaye des tas de techniques : pétards, cris de faucon, canon-laser pour les aveugler, stérilisation des œufs…

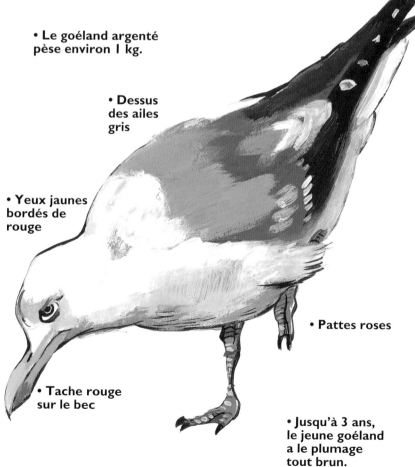

• **Le goéland argenté pèse environ 1 kg.**

• **Dessus des ailes gris**

• **Yeux jaunes bordés de rouge**

• **Tache rouge sur le bec**

• **Pattes roses**

• **Jusqu'à 3 ans, le jeune goéland a le plumage tout brun.**

L'ESTUAIRE

Avant de se jeter dans la mer, le fleuve s'élargit en une vaste étendue de vase : l'estuaire, où la marée monte et descend.

LA VIE DE L'ESTUAIRE

À marée haute, la mer remonte dans l'estuaire. L'eau de mer se mélange à l'eau du fleuve. Les animaux qui viennent de la mer doivent s'adapter à l'eau douce et inversement.

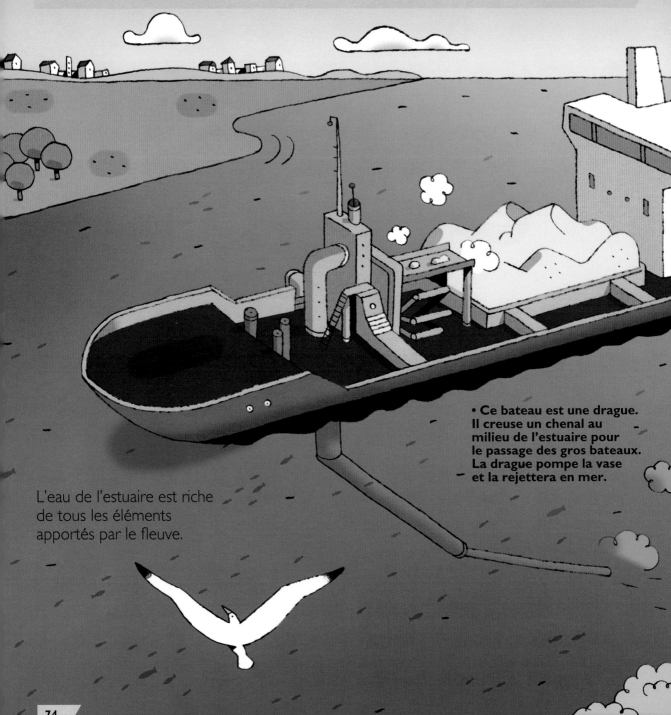

L'eau de l'estuaire est riche de tous les éléments apportés par le fleuve.

• Ce bateau est une drague. Il creuse un chenal au milieu de l'estuaire pour le passage des gros bateaux. La drague pompe la vase et la rejettera en mer.

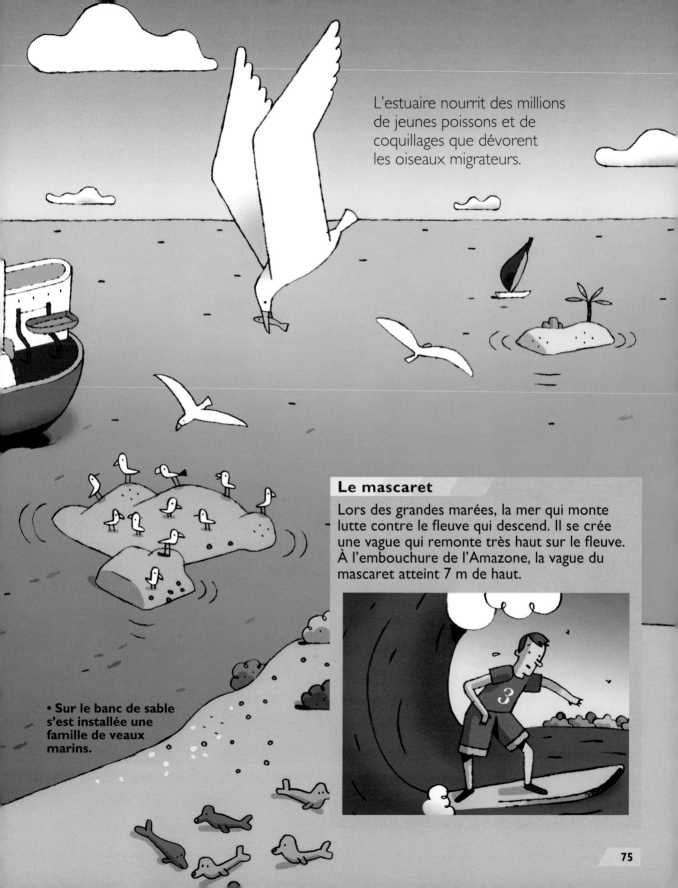

L'estuaire nourrit des millions de jeunes poissons et de coquillages que dévorent les oiseaux migrateurs.

Le mascaret

Lors des grandes marées, la mer qui monte lutte contre le fleuve qui descend. Il se crée une vague qui remonte très haut sur le fleuve. À l'embouchure de l'Amazone, la vague du mascaret atteint 7 m de haut.

• **Sur le banc de sable s'est installée une famille de veaux marins.**

LES FLAMANTS ROSES

Ils sont grands et roses, avec de grandes pattes palmées, un long cou et un gros bec. Ensemble, ils mangent. Ensemble, ils dorment. Ensemble, ils volent.

C'est le **printemps**. La colonie est de retour, au grand complet. Ils sont 100 000. Les couples se forment et dansent souplement.

Puis ils construisent des nids de boue, serrés les uns contre les autres.

La femelle pond un seul œuf, qu'il faut protéger des pilleurs de nids.

Les petits sont gardés par quelques adultes dans des crèches.

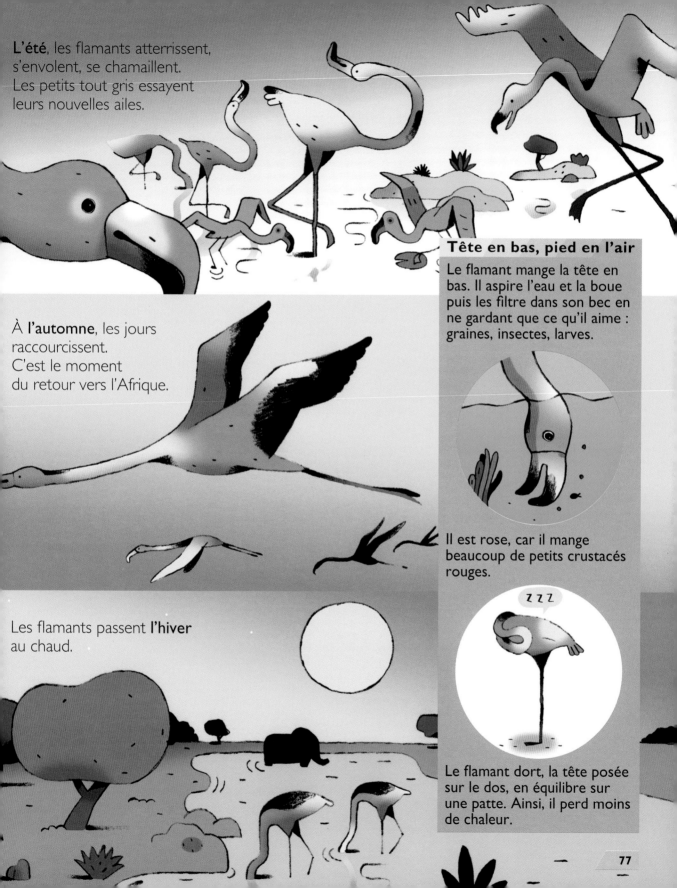

L'été, les flamants atterrissent, s'envolent, se chamaillent. Les petits tout gris essayent leurs nouvelles ailes.

À l'automne, les jours raccourcissent. C'est le moment du retour vers l'Afrique.

Les flamants passent l'hiver au chaud.

Tête en bas, pied en l'air

Le flamant mange la tête en bas. Il aspire l'eau et la boue puis les filtre dans son bec en ne gardant que ce qu'il aime : graines, insectes, larves.

Il est rose, car il mange beaucoup de petits crustacés rouges.

ZZZ

Le flamant dort, la tête posée sur le dos, en équilibre sur une patte. Ainsi, il perd moins de chaleur.

77

LA VASIÈRE

**Portée par les courants, la vase s'est accumulée dans des endroits abrités.
Une vasière, c'est collant, ça sent mauvais. C'est pourtant le paradis des limicoles
(habitants de la boue), de petits oiseaux au bec fin.**

• À l'automne, beaucoup
d'oiseaux viennent des pays
du nord pour passer ici l'hiver.
D'autres ne font que s'arrêter
dans leur voyage vers les pays
chauds.

• Vers carnivores, escargots
et crabes se pourchassent.

• Les plantes, comme la lavande
de mer, doivent être capables
de supporter le sel.

• La salicorne
est délicieuse
à croquer. On la
mange en salade.

• Vers et
coquillages
digèrent
la boue
et filtrent
l'eau trouble.

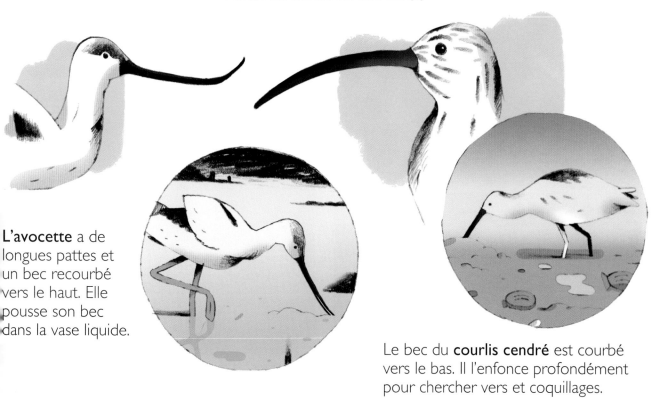

L'avocette a de longues pattes et un bec recourbé vers le haut. Elle pousse son bec dans la vase liquide.

Le bec du **courlis cendré** est courbé vers le bas. Il l'enfonce profondément pour chercher vers et coquillages.

L'**échasse** n'aime pas se salir le bec et préfère les insectes de la surface.

Le chevalier gambette a un bec droit : il attrape vers et coquillages près de la surface.

L'ANGUILLE

**La grosse anguille de la mare vient d'avoir 10 ans.
L'heure du grand départ a sonné.**

De nuit, elle quitte discrètement son domaine pour plonger dans la rivière.

Elle descend avec le courant, rejoint le fleuve, puis enfin l'estuaire.

Dans l'estuaire, elle se transforme en poisson abyssal (poisson des grandes profondeurs). Ses yeux grossissent, sa tête s'allonge, ses nageoires se transforment.

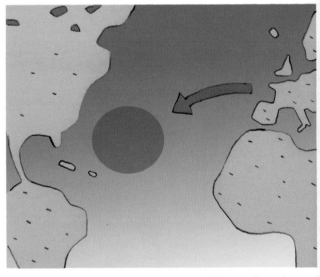

Puis le grand voyage continue. L'anguille plonge dans les profondeurs de l'océan Atlantique, qu'elle traverse jusqu'à la mer des Sargasses. Pendant 6 mois, elle ne mange pas, mais consomme ses réserves, puis ses muscles.

Arrivée à la mer des Sargasses, à 700 m de fond, elle rejoint les milliers d'anguilles qui ont fait le voyage pour se reproduire. Puis elle meurt d'épuisement.

Les larves vont grossir et être emportées, par le courant chaud du Gulf Stream, vers les côtes européennes. Là, elles se transformeront en petites anguilles, les civelles.

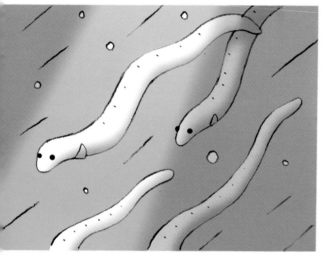

Les pêcheurs attendent dans les estuaires l'arrivée des civelles. C'est un mets très recherché.

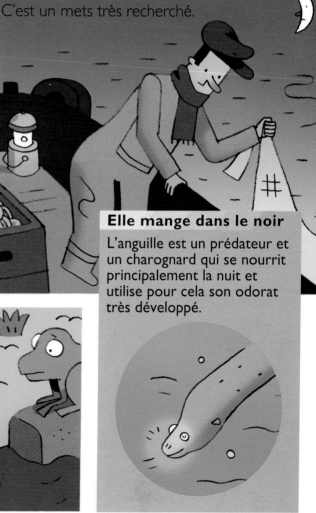

Elle mange dans le noir

L'anguille est un prédateur et un charognard qui se nourrit principalement la nuit et utilise pour cela son odorat très développé.

Luttant contre le courant, la jeune anguille remonte l'estuaire, le fleuve, la rivière vers le plan d'eau où vécut sa mère.

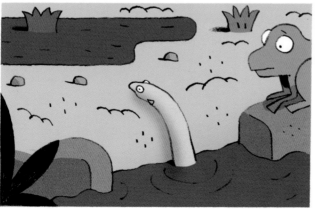

SOUS LA JETÉE

La jetée de bois abrite de nombreux habitants. Ils attirent chaque jour de redoutables prédateurs.

- **Beaucoup de détritus attirent les crabes et les crevettes.**

- **Cette daurade va finir dans un seau sur la jetée.**

Quelle salade !

La mer est envahie d'algues qui ressemblent à des feuilles de salade. Pourquoi ?
Réponse :
Une rivière apporte des restes d'engrais agricoles. L'engrais nourrit l'algue, qui prolifère. Elle consomme l'oxygène de l'eau et masque la lumière. Elle fait beaucoup de tort aux autres habitants.

• Les moules s'accrochent partout.

• Voici un petit homard qui partira bientôt vers l'eau profonde.

LA PÊCHE AUX ÉPERLANS

**Voici une technique infaillible pour ramener à la maison de vacances une belle friture.
Il faut : un filet spécial, de la farine, du sable et des moules.**

Le filet qu'on utilise s'appelle une «balance», car sa forme ressemble au plateau d'une balance.

Le pêcheur ramasse à marée basse des moules sur les poteaux.

Il les écrase, puis les mélange à du sable et de la farine.

Il fait descendre sa balance…

… et laisse tomber délicatement sa mixture au-dessus du filet.

Les éperlans, toujours affamés, se précipitent sur la nourriture.

Il ne reste plus qu'à remonter doucement la balance…
et les petits poissons !

LA MÉDITERRANÉE

En Méditerranée, l'eau est bleue et transparente, donc pauvre en nourriture.
Les marées sont faibles.

L'algue-trottoir

Cette marche au bord des rochers a été construite par une algue : le lithophyllum.

Le concombre de mer est un véritable éboueur du fond. Il avale le sable, retient débris, feuilles pourries, crottes. Puis il rejette le sable parfaitement nettoyé, sous forme de boudins.

Attaqué, le concombre sécrète des filaments blancs collants pour ligoter son agresseur. Si l'attaque se poursuit, il expulse alors son estomac, fournissant ainsi un repas au prédateur… qui en oubliera le concombre.

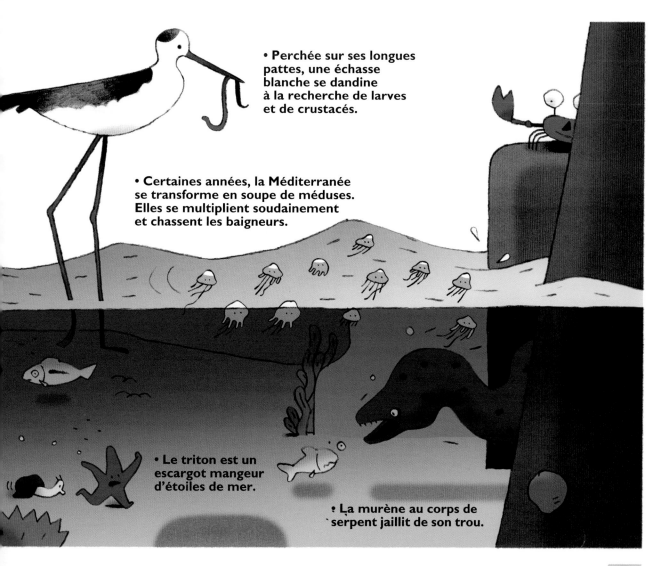

• **Perchée sur ses longues pattes, une échasse blanche se dandine à la recherche de larves et de crustacés.**

• **Certaines années, la Méditerranée se transforme en soupe de méduses. Elles se multiplient soudainement et chassent les baigneurs.**

• **Le triton est un escargot mangeur d'étoiles de mer.**

• **La murène au corps de serpent jaillit de son trou.**

L'HERBIER DE POSIDONIES

L'herbier de posidonies est essentiel à la vie en Méditerranée ; c'est dans ces herbiers que beaucoup d'animaux vivent. Mais un envahisseur menace…

Les posidonies ne sont pas des algues, mais de véritables plantes à fleurs qui vivaient autrefois sur la terre ferme.

L'herbier de posidonies produit beaucoup d'oxygène indispensable à la vie.

Le fruit de la posidonie ressemble à une petite olive. Lorsqu'il est mûr, il se détache et flotte.

Bientôt, une petite tige apparaît. La graine, devenue petite plante, coule. Si elle tombe dans le sable et n'est pas broutée, elle formera bientôt une petite oasis de verdure dans le désert de sable.

Les feuilles mortes des posidonies sont roulées par les vagues et déposées sur la plage. Ce sont les petites pelotes que l'on trouve sur le sable.

Les labres et les girelles construisent leurs nids avec des feuilles de posidonies.

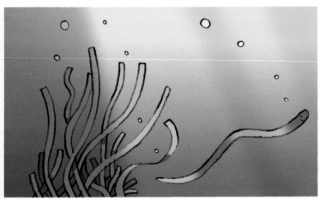

Le syngnathe, un poisson cousin de l'hippocampe, imite les feuilles des posidonies.

Les saupes dévorent les feuilles, les oursins s'attaquent aux racines.

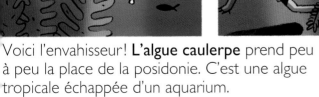

Voici l'envahisseur! **L'algue caulerpe** prend peu à peu la place de la posidonie. C'est une algue tropicale échappée d'un aquarium.

On essaye de l'arracher, de l'étouffer, sans résultat ; elle envahit tout. De plus, comme elle est toxique, peu d'animaux peuvent la brouter.

LA PIEUVRE

La pieuvre est un céphalopode, ce qui signifie « pieds sur la tête ». Elle a huit bras et une grosse tête. Elle n'est pas molle, mais tout en muscles.

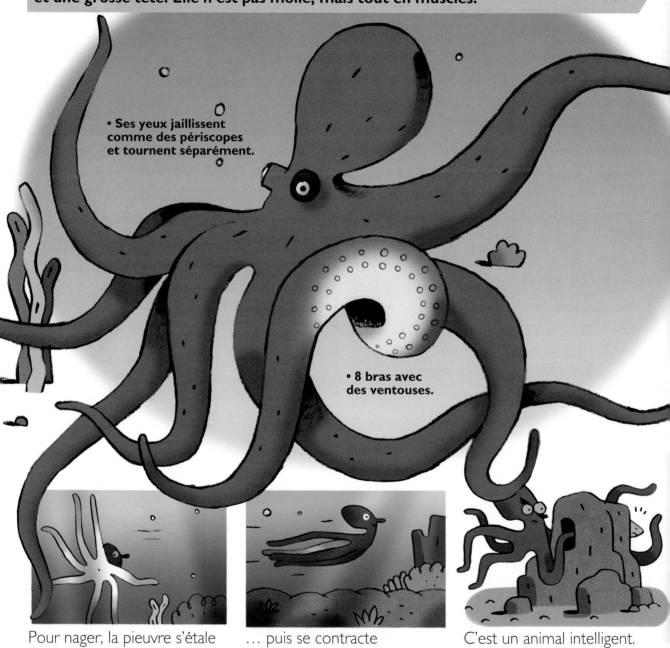

• Ses yeux jaillissent comme des périscopes et tournent séparément.

• 8 bras avec des ventouses.

Pour nager, la pieuvre s'étale comme un parapluie ouvert, se gonfle d'eau…

… puis se contracte brusquement en crachant. Le parapluie se ferme en faisant un bond en arrière.

C'est un animal intelligent. Elle sait que le trou possède une autre issue d'où va sortir le poisson.

La nuit va bientôt tomber.
La pieuvre solitaire sort de sa
cachette et se met en chasse.

Elle fouille sous les rochers
alentour, glisse ses tentacules
dans les trous.

Ici, elle se souvient qu'un jour
elle a perdu un tentacule
dans les dents de la murène.

Un crabe tente de s'enfuir.
D'un bond, la pieuvre l'attrape
et le porte à sa bouche.

Repérée par le gros poisson,
elle lui crache au nez un nuage
d'encre.

Lorsque le nuage s'est dissipé,
le poisson ne retrouve pas
sa proie.

La mère a accroché ses œufs dans son trou
et n'en sort plus. Elle barricade même l'entrée
avec des pierres et des boîtes de conserve.

Elle ne mange plus, elle doit protéger ses œufs,
les nettoyer, les oxygéner. Lorsque les larves
sortiront, la maman mourra, épuisée.

Les MERS CHAUDES

LE RÉCIF DE CORAIL, UNE OASIS DE VIE

Depuis des millions d'années, dans l'eau chaude des tropiques, les polypes bâtissent de grandes cités de corail. L'eau chaude tropicale est pauvre en nourriture. Le récif de corail est la seule oasis de vie.

Il offre abri et nourriture
à des milliers d'espèces
d'êtres vivants.
La lutte est féroce
pour la nourriture et l'espace.

LE CORAIL

Le récif de corail est formé des squelettes calcaires rouges ou blancs de milliards de polypes.

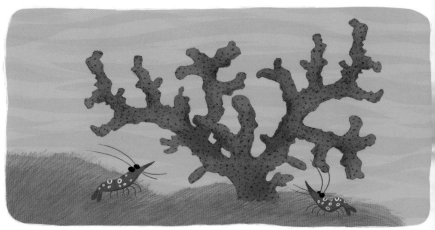

Le polype ressemble à une petite anémone de mer : une bouche entourée de tentacules.

Il s'entoure d'un squelette de calcaire sur lequel pousse une algue minuscule. Le jour, le polype est rentré dans son squelette. Il se nourrit de l'algue et de l'oxygène qu'elle produit.

La nuit, le polype chasse. Ses tentacules capturent dans l'eau des proies microscopiques en leur lançant de minuscules fléchettes empoisonnées.

Lorsque les polypes meurent, leurs squelettes restent en place et d'autres polypes se développent dessus. Ainsi le récif de corail ne cesse de grandir.

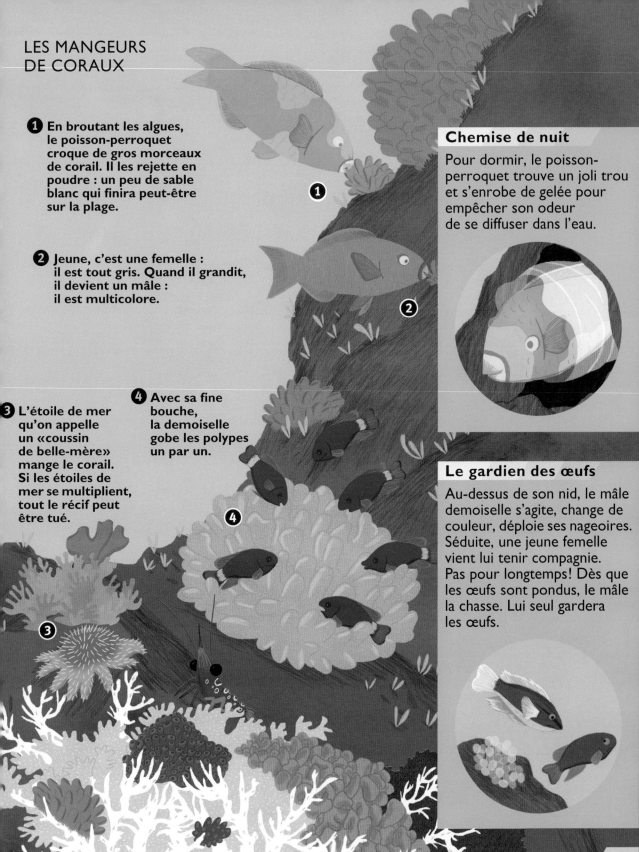

LES MANGEURS DE CORAUX

1 En broutant les algues, le poisson-perroquet croque de gros morceaux de corail. Il les rejette en poudre : un peu de sable blanc qui finira peut-être sur la plage.

2 Jeune, c'est une femelle : il est tout gris. Quand il grandit, il devient un mâle : il est multicolore.

3 L'étoile de mer qu'on appelle un «coussin de belle-mère» mange le corail. Si les étoiles de mer se multiplient, tout le récif peut être tué.

4 Avec sa fine bouche, la demoiselle gobe les polypes un par un.

Chemise de nuit

Pour dormir, le poisson-perroquet trouve un joli trou et s'enrobe de gelée pour empêcher son odeur de se diffuser dans l'eau.

Le gardien des œufs

Au-dessus de son nid, le mâle demoiselle s'agite, change de couleur, déploie ses nageoires. Séduite, une jeune femelle vient lui tenir compagnie. Pas pour longtemps! Dès que les œufs sont pondus, le mâle la chasse. Lui seul gardera les œufs.

LES HABITANTS DU RÉCIF

Tout est complet. Le moindre trou, la moindre fissure est occupée. Dès qu'une place se libère, elle est aussitôt occupée.

• **Les éponges sont des animaux très simples, sans organes, sans cerveau. Elles filtrent l'eau de mer. Il y en a de toutes les formes.**

• **Cette éponge abrite une colonie de crevettes. Comme chez les fourmis ou les abeilles, une seule reine pond tous les œufs. Les ouvrières s'activent et les gardiennes protègent la colonie avec leurs grosses pinces.**

• **Le poisson-comète se cache la tête dans un trou, ne montrant que sa queue : il ressemble alors à une redoutable murène.**

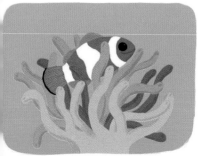

Le poisson-clown vit dans l'anémone. Il ne craint pas son poison, car il est recouvert d'une gelée protectrice. Il la nettoie, elle le protège.

Les deux clowns forment un couple uni pour toujours. La plus grosse, c'est Madame, c'est elle qui commande.

Mais si Madame est mangée, Monsieur change de sexe, prend sa place et cherche un nouveau mâle.

La crevette et le gobie s'entendent bien. Si la crevette veut creuser un trou dans le sable,

le gobie surveille les environs. La crevette garde une antenne posée sur lui.

Danger! le gobie frémit, la crevette le sent.

Ils se réfugient vite tous deux dans le trou.

QUEL VACARME DANS LE RÉCIF !

**Un ballet féerique de formes, de couleurs, de mouvements… et de cris !
Oui, les poissons et crustacés crient, chuchotent, grincent…**

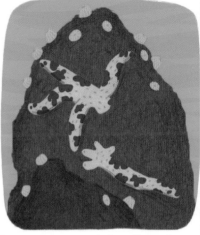

Le concombre de mer se lèche les doigts après avoir mangé. La bouche du concombre de mer est entourée de tentacules qui lui permettent de capturer des débris de nourriture ou de petites proies comme des crustacés. Il les rentre ensuite dans sa bouche pour les sucer une à une.

Pour se reproduire, **l'étoile de mer** *Linckia multifora* étire un de ses bras jusqu'à ce qu'il se détache. Le bras grandit et devient une nouvelle étoile.

Le poisson-pierre est un tueur invisible et immobile. Son attaque est foudroyante. Le venin de son épine dorsale est mortel.

Le poisson-crapaud pousse des grognements de chien méchant.

Pour ne pas être croqué, **le diodon** se gonfle d'eau. Alors, ses épines se déploient.

Le poisson-coffre mouline à toute vitesse de ses petites nageoires. Il n'est pas bien rapide, mais il faut des mâchoires solides pour croquer sa carapace osseuse.

Le bénitier géant est le plus gros coquillage du monde : 200 kg (une perle de ce bénitier pèse 7 kg).

Le chirurgien rayé protège farouchement son champ d'algues.

L'anthias-flamme surveille son harem.

ICI, SOINS DU CORPS

**Ce gros mérou a la peau qui le démange. Mais il sait où aller pour se faire soulager…
Chez les crevettes nettoyeuses !**

Bien installé, **le mérou** ne bouge plus et ouvre la bouche.

Une crevette y entre et retire délicatement de ses longues pinces un parasite logé dans la joue du gros poisson.

Mais le mérou souhaite un nettoyage complet.

Dans la bouche, les branchies, les yeux, les crevettes cherchent les parasites, décollent les peaux mortes et les écailles abîmées.

Toutes ces petites pattes qui s'occupent de lui !
Le mérou est aux anges.

Derrière le mérou, un **poisson-perroquet
à bosse** attend son tour.

Un peu plus loin, une autre
station de nettoyage est en
pleine activité. C'est celle des
labres nettoyeurs, plus rapides
mais moins précis.

LES INVISIBLES
Où sont-ils?

• Le poisson-trompette
reste immobile, la tête
en bas (caché dans un
massif de gorgones).
• Le poisson-crocodile
et le poisson-scorpion
guettent leurs proies
sur le fond.
• Les crevettes se
promènent, transparentes.
• Le bernard-l'hermite
héberge une famille
d'anémones.
• Le crabe a découpé
un morceau d'éponge
et l'a fixé sur sa carapace.

LA NUIT TOMBE

La nuit tombe sur le récif. Les polypes se gavent de plancton. Les requins gris ne vont pas tarder. Il est temps de se trouver une cachette pour la nuit.

Trop tard! Il n'y a plus aucune place pour se cacher. **Le poisson-ange** est affolé.

LE REQUIN

Le requin-tigre et le requin-bouledogue sont les plus dangereux du monde. Ils vivent dans l'Amazone. Ceux qui vivent dans la lagune ne s'attaquent pas aux hommes.

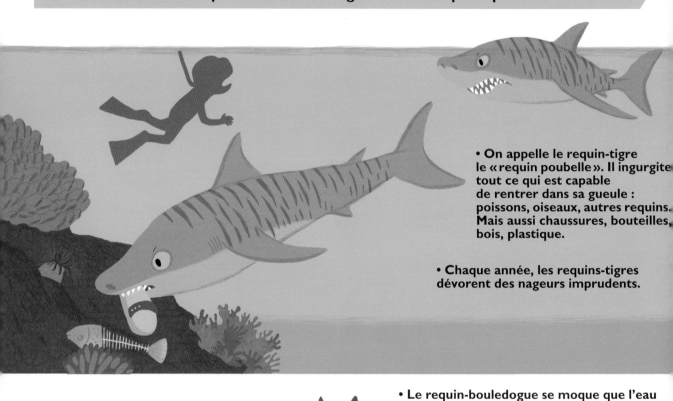

• On appelle le requin-tigre le «requin poubelle». Il ingurgite tout ce qui est capable de rentrer dans sa gueule : poissons, oiseaux, autres requins. Mais aussi chaussures, bouteilles, bois, plastique.

• Chaque année, les requins-tigres dévorent des nageurs imprudents.

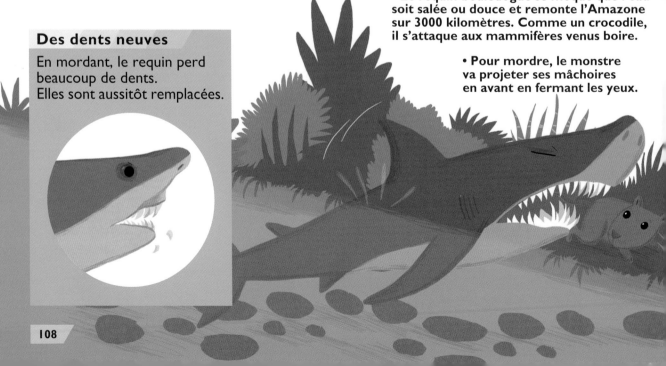

• Le requin-bouledogue se moque que l'eau soit salée ou douce et remonte l'Amazone sur 3000 kilomètres. Comme un crocodile, il s'attaque aux mammifères venus boire.

• Pour mordre, le monstre va projeter ses mâchoires en avant en fermant les yeux.

Des dents neuves

En mordant, le requin perd beaucoup de dents. Elles sont aussitôt remplacées.

Le requin pointe-noire file au ras de la surface en laissant dépasser sa nageoire. Il peut nager dans très peu d'eau, au risque de s'échouer.

Le requin-marteau vit souvent en bande et défend son territoire. Il est effrayé par les plongeurs et leurs bulles d'air.

Le requin-nourrice rampe avec ses nageoires sur le fond. Il pose ses lèvres sur le trou et aspire sa proie.

Bébés ogres

La première chasse d'un requin a souvent lieu dans le ventre de sa maman.

Le requin-tapis est aplati sur le fond. Le homard croit se cacher dans une touffe d'algues et s'engouffre dans sa gueule. À marée basse, le requin-tapis peut passer d'une mare à l'autre.

LA PLAGE AUX COCOTIERS

Le cocotier est un palmier. Il pousse à proximité de la mer, dans toutes les régions tropicales.

Son tronc, très fin, est coiffé d'un bouquet de palmes, très larges et très longues.

Une noix de coco tombe et roule vers la mer.

Une vague l'attrape et le courant l'emporte. Elle navigue pendant des mois. Un jour, la mer la dépose sur une autre plage.

La noix s'enracine. Un jeune cocotier crève la coque.

Le crabe des cocotiers grimpe, détache une noix, descend et la décortique.

Il se nourrit aussi de fruits, bois, feuilles pourries, charognes, escargots…

LE LAGON DE SABLE BLANC

L'atoll, l'île des mers chaudes, est entouré d'un lagon protégé par une barrière de corail. Le sable blanc de ses plages est formé de squelettes de coraux.

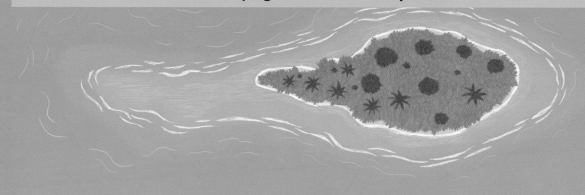

• Les rongeurs et les reptiles sont arrivés sur l'île sur des radeaux de végétation ou des troncs flottants.

• Les crabes fantômes vivent dans des terriers sur la plage. Ils sortent la nuit pour manger les débris rejetés par la marée. Ils courent très vite.

• La chenille de mer est appelée l'«aspirateur de la mer», car elle rampe en avalant d'énormes quantités de sable, qu'elle suce pour se nourrir et qu'elle rejette ensuite, une fois bien nettoyé.

• À l'affût, la crevette-pistolet claque son énorme pince. Détonation et jet d'eau. La proie est assommée et attrapée.

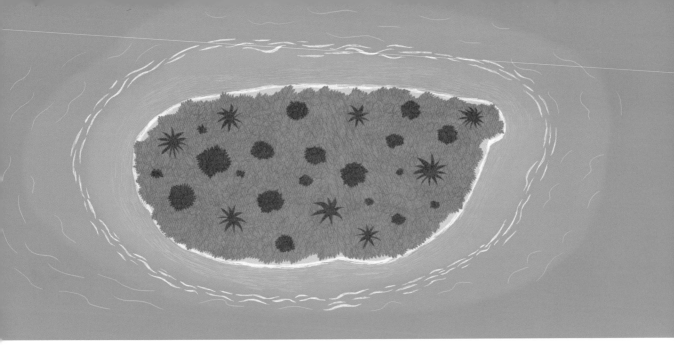

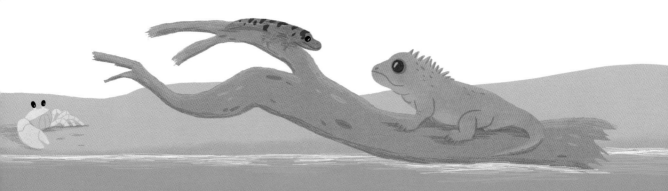

• Une raie manta solitaire visite le lagon.

Le cône s'approche lentement de sa proie. Dès qu'il est tout près, il éjecte par sa trompe une fléchette empoisonnée qui vient frapper sa victime.

Le cône a de nombreuses fléchettes de rechange, il peut donc piquer à plusieurs reprises. Certains cônes sont mortels pour l'homme.

LA MANGROVE

C'est une forêt sur la mer. Elle est tellement épaisse qu'elle se dévore, s'étouffe elle-même.

• À l'approche de la nuit, des nuages de moustiques rôdent à la recherche de sang frais.

• Le palétuvier est le seul arbre capable de pousser dans l'eau de mer. Il est surélevé sur ses racines.

• Les fruits du palétuvier sont en forme de poignard. Ils se plantent dans la vase.

Le tigre des mers

La mangrove des Sundarbans au Bangladesh est la plus grande du monde. Elle est fréquentée par les tigres.

• Les poissons et les crevettes viennent pondre leurs œufs dans les racines, à l'abri des courants.

LA FORÊT SUR LA MER

La forêt de palétuviers est impénétrable : un labyrinthe de racines qui plongent dans la boue. La mangrove forme une barrière contre les vagues et les ouragans, protégeant la côte.

Le poisson-archer crache pour faire tomber l'insecte et le gober.

Le périophtalme est un poisson à pattes qui avance sur la vase en se dandinant sur ses nageoires.

Parfois, le périophtalme bondit en utilisant sa queue comme un ressort.

Il adore le crabe.

Pour respirer quand il se promène sur les racines, il remplit sa bouche d'eau.

Des trous partout !
Beaucoup d'habitants vivent dans des terriers. Ils y retournent de temps en temps pour se mouiller.

• **Les crabes violonistes crapotent dans la boue à la recherche de détritus qu'ils trient dans leur bouche. Le mâle est très fier de sa pince. Il invite une femelle à venir visiter son terrier.**

• **Les singes crabiers fouillent les trous et croquent les crabes.**

• **Les crabes soldats emportent de jeunes pousses dans leur terrier pour les déguster tranquillement.**

• **Un gros crocodile marin surveille les singes d'un œil gourmand.**

117

LA FORÊT SOUS LA MER

Le kelp est une forêt de longues algues, les laminaires.
Et, comme dans toutes les vraies forêts, il y a le loup.

• Avec son museau
en forme de paille,
l'hippocampe aspire
le plancton.

• Les oursins
rouges broutent
les laminaires.

• Le lièvre de mer
est la plus grosse
limace du monde
(15 kg, 1m).

• Une rascasse attend
sur le fond la proie,
qui passe sans la voir.

LE KELP DE CALIFORNIE

Les laminaires peuvent mesurer 50 m de long. Accrochées sur le fond, elles s'étirent jusqu'à la surface grâce à leurs flotteurs. Dans les crampons entremêlés grouillent mollusques, crabes, vers et petits poissons.

Voici le loup de la forêt! Ce **poisson-loup** ne quitte son repaire que pour bondir sur une proie de passage. Il croque aussi sans problème oursins et coquillages.

La loutre de mer
joue, dort et mange
dans la forêt.
Elle passe une bonne
partie de son temps
à se toiletter.
Elle soigne sa fourrure
qui la protège de l'eau
froide.

Pour dormir sans être emportée
par le courant, elle enroule
une patte dans une laminaire.

Elle mange les oursins rouges
en les cassant sur une pierre.

Un dîner en tête à tête : le mâle
couvre sa douce de cadeaux.

Le petit dort, dans les bras de
sa maman, bercé par les vagues.

Elle peigne doucement
sa fourrure sans le réveiller.

LA PRAIRIE SOUS LA MER

**L'eau est bien chaude et peu profonde.
La vie est paisible.**

Le dugong est le seul mammifère marin herbivore. Comme les vaches dans une prairie, il vit en troupeau. Il arrache et broute les herbes et les racines.

Pour plaire aux femelles, les mâles sautent hors de l'eau le plus haut possible.

Ce petit tète sa mère.

L'hippocampe feuillu (qu'on appelle aussi le dragon de mer) se balance dans le courant, la queue enrourée autour d'un brin d'herbe.

Au moment de la saison des amours, chaque matin, le couple s'enlace et danse en changeant de couleur. Attention au serpent de mer !

Quelque temps plus tard, alors qu'ils remontent, ventre contre ventre vers la surface, la mère glisse ses œufs dans la poche du père.

Bien à l'abri, nourries, oxygénées, les larves se transforment.

Lorsqu'ils sont assez grands pour se débrouiller tout seuls, le père se tord en tous sens pour les éjecter.

Quand il a l'estomac plein, **le serpent de mer** part digérer sur la plage.

L'INVASION DES CRABES ROUGES

**Un jour de mai, la lune approche de son dernier quartier.
Le grand moment est arrivé !**

100 millions
de crabes
ont attendu
dans les forêts
l'arrivée
de la pluie.

Dès les premières gouttes, ils sortent de partout. Le départ de la course est donné, ils courent vers les plages, le plus vite possible. Aucun obstacle ne les arrête.

Ils roulent, sautent, tombent, traversent les maisons, les villes, les routes… Les voitures roulent sur un tapis de carapaces.

Enfin, ils atteignent la mer. Et, là, ils s'accouplent.

Puis, quand la lune est à son tout dernier quartier, les femelles lâchent leurs œufs dans la mer.

LES TORTUES DE L'ÎLE

Les tortues de mer continuent de pondre leurs œufs sur la terre ferme, dans le sable de la plage. Leurs ancêtres étaient des reptiles terrestres.

L'île de l'Ascension

La tortue verte vit sur les côtes du Brésil. À 50 ans, elle est en âge de pondre. Alors elle va entreprendre un voyage de 3 000 km, sans nourriture, à la merci des tempêtes et des prédateurs jusqu'à la plage de l'île où elle est née. Un minuscule bout de sable au milieu de l'Atlantique : l'île de l'Ascension.

LE TRIATHLON DES TORTUES VERTES

Le triathlon des tortues : 3 000 kilomètres en nageant, 300 mètres en marchant, 1 mètre en creusant.

La nuit est noire. La tortue hisse difficilement ses 400 kg sur la plage.
Elle souffle pour mieux respirer, ses yeux pleurent pour ne pas s'assécher.

Il faut monter au-dessus du niveau de la marée, sans trop s'approcher des arbres où pullulent les mangeurs d'œufs.

Ici, c'est bien ! Elle creuse et dépose au fond du trou une centaine d'œufs, qu'elle recouvre de sable.

Enfin, épuisée, elle retourne à la mer.

Deux mois plus tard, dans la chaleur du sable vont naître les bébés tortues. S'il fait plus de 30 °C, ce seront toutes des femelles. En dessous de 28 °C, ce seront des mâles.

À peine sortis de l'œuf, la course pour la vie commence. Il faut foncer vers la mer.

Mais les oiseaux et les crabes sont prévenus de la naissance.

Trois petites tortues ont atteint la mer ; deux se feront croquer. Une seule, portée par les courants, rejoindra les côtes du Brésil.

LES DRÔLES D'HABITANTS DES GALÁPAGOS

Au cœur du Pacifique, une centaine d'îles sont habitées par des animaux étranges qu'on ne trouve nulle part ailleurs.

L'iguane marin, ce monstre de la préhistoire, a le dos surmonté d'une crête dentelée. Il est armé de puissantes griffes. Il mange les algues qui poussent sur les rochers en affrontant la violence des vagues, accroché par ses griffes. Avant de plonger, il doit se chauffer longtemps au soleil.

La nuit, les iguanes s'empilent les uns sur les autres pour être au chaud, femelles et jeunes au milieu.

La parade d'amour du fou à pattes bleues est assez comique. Le mâle danse lentement en soulevant tour à tour chacune de ses pattes,

puis il pointe le nez vers le ciel et écarte les ailes en sifflant.

La tortue géante est la plus grosse des tortues terrestres. Le mâle pèse jusqu'à 300 kg. Elle broute tous les végétaux, même les cactus. Le col de sa carapace, est bien dégagé pour qu'elle puisse manger les arbustes.

Grands yeux tristes

L'otarie à fourrure pêche de nuit, sauf à la pleine lune, pour éviter les attaques des requins. Le mâle pèse 75 kg et la femelle 35 kg.

La tortue souffre de la présence dans les îles d'animaux récemment arrivés : le rat noir, introduit par les pirates, s'attaque à ses œufs après avoir déterré les nids ; les porcs sauvages en font autant et les ânes et les chèvres mangent la végétation dont elle se nourrit.

LES ANIMAUX ÉCHOUÉS

Parfois, certains animaux du large gisent sur la côte, pourquoi?
Heurtés par un bateau, pris dans un filet de pêche, malades ou désorientés,
ils s'échouent et meurent sur la plage.

Le dauphin, pris dans un filet, ne peut remonter
à la surface pour respirer, et il se noie.

En triant le poisson,
les pêcheurs le rejettent à la mer.

Les dauphins n'abandonnent pas un malade
ou un blessé, ils s'échouent alors avec lui.

Des loups sortis de la forêt vont les dévorer.

Un globicéphale
malade perd le sens
de l'orientation et
s'échoue sur une
plage. Mais, comme
c'était le chef
de la bande, son
troupeau l'a suivi.

Il arrive également que, en poursuivant ses proies trop près de la côte, **un cétacé** se fasse piéger par la marée descendante.

Le calmar géant peut mesurer 15 m et peser 2 tonnes. Blessé ou malade, il remonte des grandes profondeurs pour finir sur la plage.

Une baleine, c'est des semaines de nourriture pour les charognards du coin.

L'HOMME et LA MER

UN AUTRE HABITANT DU RIVAGE

L'homme a toujours été attiré par la mer. Il est venu s'y installer dès son apparition sur la Terre. Pêche, transports, loisirs, peu à peu, l'homme modèle ses rivages… pour le meilleur et pour le pire.

Les bords de mer sont souvent les régions les plus peuplées du monde.

QUEL EST CE BATEAU ?

Voici quelques bateaux que tu peux observer de la plage.

Le ferry et **le paquebot** : ils transportent des passagers.
On les reconnaît aux nombreuses fenêtres des cabines.

Le chalutier : à l'arrière, le treuil lui permet
de remonter le filet (le chalut).

Le caseyeur : sur le pont sont entassés
les casiers et leurs fanions pour les repérer
à la surface.

Le pétrolier : c'est une grosse cuve. De petites cheminées dépassent sur le pont. Son pont est vide. Le pétrolier peut être énorme, jusqu'à 400 m.

Le porte-conteneur : on voit très bien les conteneurs qui débordent de la cale et dépassent sur le pont.

Le remorqueur : il tire les gros bateaux dans le port, les aide à se mettre à quai. Il est très puissant.

Le catamaran : c'est un voilier à deux coques.

LE PORT DE PÊCHE, UN ABRI

Le port est construit dans un endroit abrité de la côte. Il est aménagé avec des quais pour l'accostage des bateaux.

Quand un bateau de pêche rentre au port, la cale pleine de sardines,
les pêcheurs jettent à l'eau les algues, les coquillages et les poissons abîmés.
Ce n'est pas perdu pour tout le monde…

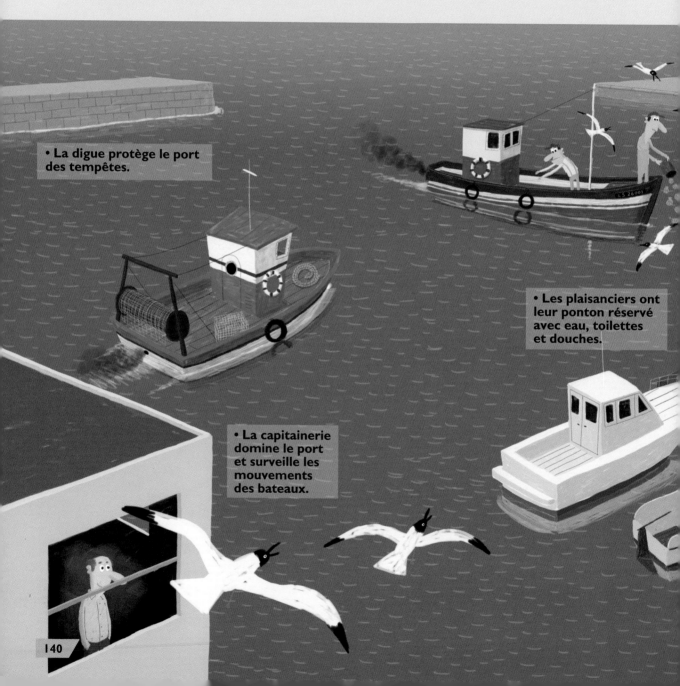

• **La digue protège le port des tempêtes.**

• **Les plaisanciers ont leur ponton réservé avec eau, toilettes et douches.**

• **La capitainerie domine le port et surveille les mouvements des bateaux.**

• **Le phare indique aux bateaux l'entrée du port.**

• **La criée est un grand hangar sur le bord des quais. C'est ici que le poisson est vendu (en criant). Il est conservé dans la glace.**

Bâbord/Tribord

Des balises rouges et vertes indiquent aux bateaux le chenal à suivre pour rentrer dans le port.

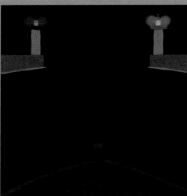

Les balises de bâbord (à gauche) sont rouges ; celles de tribord (à droite) sont vertes.

Voici un petit personnage qui te permet de t'en souvenir : tricot vert et bas rouges.

L'ODEUR DU PORT

Un port, ça pue ! Un délicieux parfum de gasoil, gaz d'échappement, poisson frais et pourri, algues séchées et peinture.

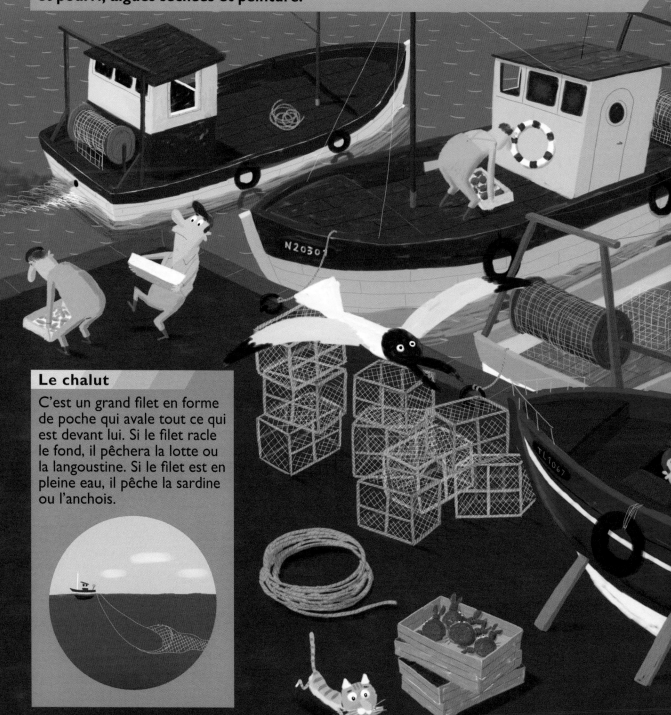

Le chalut

C'est un grand filet en forme de poche qui avale tout ce qui est devant lui. Si le filet racle le fond, il pêchera la lotte ou la langoustine. Si le filet est en pleine eau, il pêche la sardine ou l'anchois.

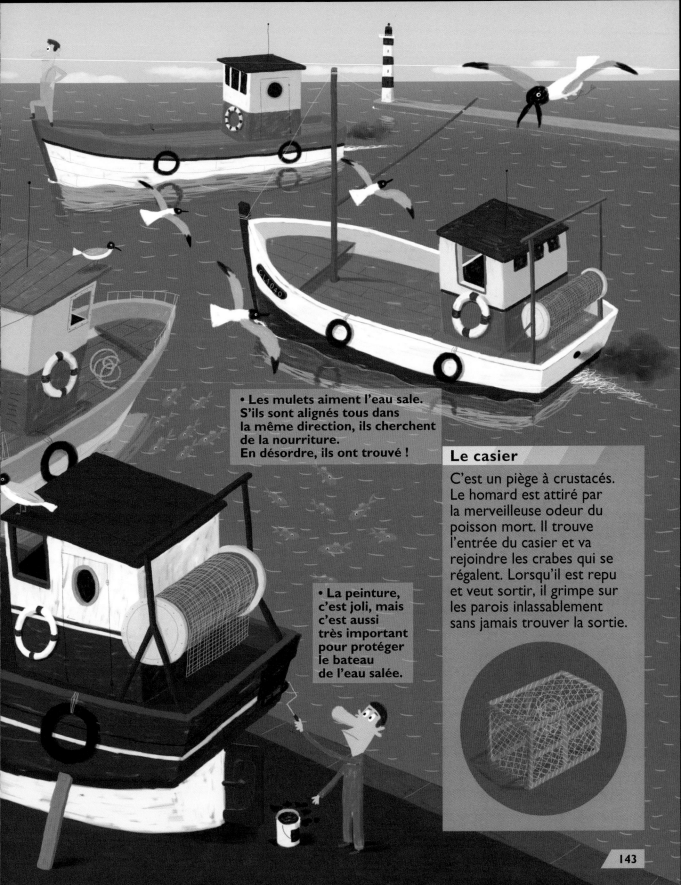

• Les mulets aiment l'eau sale.
S'ils sont alignés tous dans
la même direction, ils cherchent
de la nourriture.
En désordre, ils ont trouvé !

Le casier

C'est un piège à crustacés.
Le homard est attiré par
la merveilleuse odeur du
poisson mort. Il trouve
l'entrée du casier et va
rejoindre les crabes qui se
régalent. Lorsqu'il est repu
et veut sortir, il grimpe sur
les parois inlassablement
sans jamais trouver la sortie.

• La peinture,
c'est joli, mais
c'est aussi
très important
pour protéger
le bateau
de l'eau salée.

UN ÉCHANGE PAS TRÈS RÉGULIER

**La mer donne beaucoup à l'homme, de la nourriture et du plaisir.
Mais l'homme, que lui rend-il en échange ?**

LA MER DONNE À L'HOMME :

• Du sel.

• Du pétrole extrait du fond marin.

• Des poissons coralliens pour remplir ses aquariums.

• Un élément merveilleux pour nager, plonger, glisser.

• Des poissons, des coquillages et des crustacés.

• Des algues.

EN ÉCHANGE, L'HOMME DONNE À LA MER :

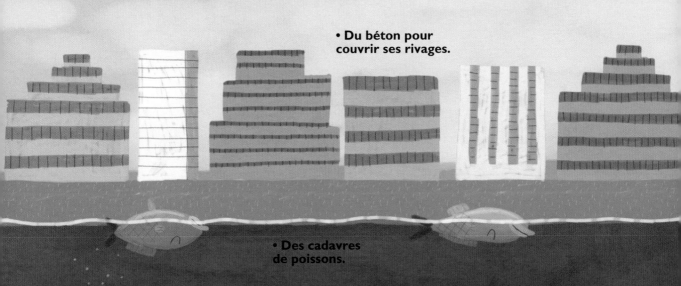

• Du béton pour
couvrir ses rivages.

• Des cadavres
de poissons.

• Du pétrole.

• De l'eau sale
venue des fleuves
et des égouts.

• Des engrais
et des pesticides.

• Des
déchets
nucléaires...

LA MER DE BÉTON

**L'homme adore le bord de mer.
Mais l'homme ne vit pas comme un bigorneau.**

Il lui faut des immeubles, des marinas,
des magasins, des routes, des ports,
des aéroports, des bateaux, des scooters
de mer…

Une tortue luth se nourrit de méduses.

Un sac plastique qui flotte ressemble fort à une méduse. La tortue mourra étouffée.

Les récifs sont détruits par les trop nombreux visiteurs, les ancres des bateaux, la pêche à l'explosif, la cueillette.

Les mangroves sont abattues pour faire place à des élevages de crevettes.

LA POUBELLE BLEUE

**Toutes les pollutions de la Terre se retrouvent un jour dans la mer.
Elle a bien du mal à les digérer.**

Le monde vivant est un parfait
équilibre. Ainsi, détruire
une forêt peut entraîner
la destruction du corail.

Quand on abat les arbres,

leurs racines ne retiennent plus la terre. Celle-ci est emportée
par la pluie qui ruisselle sur le sol jusqu'aux fleuves.

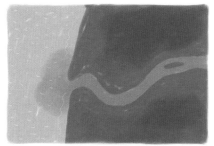

Les fleuves se jettent dans
la mer, chargés de terre.

La terre se dépose sur
les récifs de corail.

Le corail meurt étouffé.

Un gros élevage de porcs produit d'énormes
quantités de lisier (excréments). Le lisier est
un engrais pour les plantes.

Apporté par l'eau de la rivière, le lisier
provoque dans la mer une prolifération
d'algues vertes. Ces algues étouffent la vie
marine.

Un pétrolier a fait naufrage près de la côte. Des milliers de tonnes de pétrole se déversent dans l'océan. Des centaines de kilomètres de côtes sont pollués.

La côte héberge de nombreux oiseaux migrateurs venus se reposer. Fous de Bassan, cormorans et guillemots sont englués dans le pétrole.

Le pétrole qui coule au fond de la mer empoisonne coquillages, poissons et crustacés.

Certains pétroliers et bateaux provoquent de petites marées noires en nettoyant leurs cuves en mer (dégazage).

LE PHARE

Le phare guide les bateaux la nuit vers les ports ou dans les endroits où la navigation est difficile ou dangereuse. On en trouve sur toutes les côtes du monde.

Un phare est une grande tour surmontée d'une «lanterne» abritant une puissante lampe.

Chaque phare a son langage, c'est-à-dire sa façon d'éclairer : fixe, clignotant, blanc ou en couleur.

On classe les phares en 4 catégories :

Paradis : phares construits sur la terre ferme.

Purgatoire : phares construits sur une île.

Enfer : phares construits en haute mer.

Enfer des enfers : en Bretagne, c'est le phare AR-MEN.

C'est la dernière lumière du continent. Il indique l'entrée d'une zone très dangereuse, la chaussée de Sein, zone de récifs et de violents courants. La lumière d'Ar-Men porte jusqu'à 40 km. Elle éclaire l'océan, chaque nuit, de 3 éclats blancs toutes les 20 secondes.

L'ÉLEVAGE DE COQUILLAGES

L'aquaculture, c'est l'élevage de coquillages, de poissons, de crustacés ou d'algues. L'élevage des huîtres s'appelle l'«ostréiculture». L'élevage des moules s'appelle la «mytiliculture».

L'huître pond dans l'eau. Les larves se fixent sur des tuiles ou du plastique, et deviennent de minuscules huîtres.

Elles sont détachées et emmenées sur les lieux riches en plancton où elles grossiront.

À 3 ans, les huîtres sont bonnes à manger.

COMMENT OUVRIR UNE HUÎTRE ?

L'écailler glisse son couteau entre les deux valves de la coquille et coupe le muscle qui les maintient fermées.

La daurade joue de la tronçonneuse, broyant la coquille.

L'huîtrier-pie perce la coquille des jeunes huîtres ou insère son long bec dur quand l'huître baille.

L'étoile de mer envahit les parcs : elle ouvre les huîtres avec ses bras pour les dévorer.

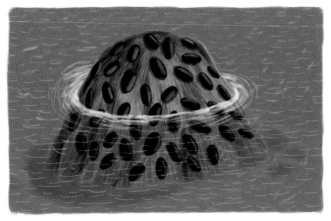

La moule aime les endroits où ça bouge. L'eau de mer lui apporte sa nourriture.

À marée basse, elle se ferme hermétiquement, enfermant ainsi une petite provision d'eau.

La moule est fixée par un paquet de filaments. Elle se détache parfois pour changer d'endroit.

Elle se déplace alors sur son pied musclé.

Les larves se déposent sur des cordes qui sont ensuite enroulées autour de poteaux (les bouchots) et grossissent durant un an et demi.

Dans les moules, on trouve parfois un petit crabe dodu, c'est le crabe petit pois. Il vit dans la moule, c'est son abri. Tu peux le manger.

L'ÉLEVAGE DE POISSONS ET CREVETTES

De plus en plus d'espèces de poissons sont maintenant élevés dans des fermes marines : bars, daurades, saumons…

Faire éclore les œufs des poissons, les faire grandir, c'est la pisciculture. L'élevage du saumon est le plus développé, mais d'autres élevages apparaissent : bars, daurades, turbots, soles, crevettes, etc.

L'élevage de la **crevette** s'appelle la « crevetticulture ». La croissance de la crevette est extrêmement rapide : née au printemps, elle est vendue en automne.

En Asie, les élevages de crevettes sont de plus en plus nombreux. Les paysans thaïlandais gagnent vingt fois plus en transformant leurs rizières en bassins d'élevage.

LE MARAIS SALANT

Le marais salant est un ensemble de bassins peu profonds. Pour obtenir du sel marin, il suffit de laisser évaporer l'eau de la mer.

1 Le 1er bassin est rempli d'eau de mer. Les grosses particules contenues dans l'eau se déposent au fond.

2 L'eau est conduite dans un 2e bassin. L'eau continue de s'évaporer et les petites particules se déposent à leur tour.

3 Dans un 3e bassin, moins profond, le soleil et le vent finissent leur travail et le sel se cristallise au fond.

À la fin de l'été, avant les pluies, on évacue l'eau qui reste et c'est le sel qu'on ramasse.

On trouve des exploitations
de sel dans le monde entier,
là où le climat est chaud et sec.

Autrefois, le sel était précieux.
Il permettait de conserver les
aliments, avant l'invention des
conserves et du réfrigérateur.

En France, le roi prélevait
un impôt sur le sel :
la gabelle.

Les contrebandiers du sel
étaient envoyés aux galères.

LES MOTS DE LA MER

LE TSUNAMI

Lors d'un tremblement de terre ou de l'éruption d'un volcan au fond de la mer, la vague dépasse à peine de la surface de l'eau.

Mais cette vague traverse l'océan à la vitesse d'un avion et, lorsqu'elle approche de la côte là où le fond remonte, elle devient soudain gigantesque… et destructrice.

LE CYCLONE

Il se forme sur l'océan là où la mer est très chaude, près de l'équateur.
Lorsque ces vents tourbillonnants arrivent sur la côte des pays (Antilles, Floride…), ils détruisent tout sur leur passage.

LE GULF STREAM

C'est un grand courant chaud de l'océan Atlantique. Rapide et puissant, il apporte l'eau tiède du golfe du Mexique vers les côtes européennes.

Grâce à lui, on met moins de temps en bateau de l'Amérique vers l'Europe que de l'Europe vers l'Amérique.

Ce courant marin réchauffe les côtes européennes comme un radiateur. C'est pourquoi les hivers y restent doux.

INDEX